PAOLO CRIMALDI

Karmische Liebe

Standardwerke der Astrologie

PAOLO CRIMALDI

Karmische Liebe

Partnerschaftsastrologie aus karmischer Perspektive

Aus dem Italienischen übersetzt von Christoph Schubert-Weller

CHIRON VERLAG

Umschlag: Walter Schneider
Umschlagfoto © Bildagentur Mauritius
Druck: Offizin Chr. Scheufele, Stuttgart

aloha Swantje

Zu beziehen über den Buchhandel oder direkt beim
Chiron Verlag, Postfach 1250, D-72002 Tübingen
www.chironverlag.com

ISBN 3-9225100-78-4

Inhalt

Vorwort zur deutschen Ausgabe

Seit Ende der achtziger Jahre verfolge ich mit wachsendem Interesse die Arbeiten, die Paolo Crimaldi für die italienische Astro-Fachzeitschrift »Linguaggio astrale« schreibt. Stets handelte es sich um Artikel über psychologische Astrologie und ihre Verbindung zur Traumdeutung und zur Psychosynthese. Crimaldis Arbeiten waren außerordentlich gelehrt. Sie verrieten profunde Kenntnisse, und ich hegte keinen Zweifel daran, dass es sich bei dem Autor um einen alten Mann, einen Professor handeln müsse, der an Jahren so reich wie an Erfahrung war. Nun, beim Internationalen Astrologenkongress 1994 in Venedig hatte ich das Vergnügen, Paolo Crimaldi persönlich kennen zu lernen. Wer beschreibt mein Erstaunen, als ich mich einem 27-jährigen Mann gegenüber sah. Ein italienischer Kollege, der mit dabei war, bemerkte mein Erstaunen und sagte: »Paolo ist eine alte Seele.« Und so erfuhr ich, dass viele Menschen in der italienischen Astro-Szene, die Paolo Crimaldi über seine Artikel kannten, dasselbe Empfinden hatten. In der Zwischenzeit hat Paolo Crimaldi seinen Zugang zur Astrologie noch einmal gewandelt. Zur psychologischen Orientierung ist jetzt die spirituelle getreten, und auf seine Arbeiten zur psychologischen Astrologie folgen jetzt solche über karmische Astrologie.

Wenn ich ein Buch über Astrologie und Karma zur Hand nehme, bin ich durchweg ziemlich voreingenommen. Das liegt daran, dass ich die Behauptungen, die ich manchen dieser Bücher entnommen habe, mehr als Spekulationen des Geistes denn als annehmbare Deutungen des persönlichen Schicksals begreife. Andere Bücher zum selben Thema führen eher Angst machende, fatalistische Deutungen an: Bestimmte negative Erfahrungen, die wir im gegenwärtigen Leben gemacht haben, gelten als gerechte Strafe für die Missetaten eines früheren Lebens. Derartige Behauptungen sind geeignet, den Entwicklungsweg des Ratsuchenden zu hemmen. Sie vermitteln Schuldgefühle, sie verursachen lediglich Schaden. Dabei wissen wir doch, dass eine behutsam angewandte Astrologie eigentlich eine große Hilfe für die persönliche Entwicklung sein soll. Sie kann uns von vergangenen Konditionierungen befreien und zahlreiche Möglichkeiten für unsere Weiterentwicklung aufzeigen. Sie zwingt uns nicht zu diesem oder jenem Weg, sie zeigt uns vielmehr Wege, ohne uns zu nötigen.

Das Buch von Paolo hat mir sofort gefallen. Sein Ansatz, die Geschichte von Beziehungen unter karmisch-astrologischer Perspektive zu betrachten, hat mich sehr angesprochen. Aus seinem Ansatz resultiert eine Deutung, die Schuldgefühle oder gar die Haltung des »armen Opfers« angesichts des unausweichlichen Schicksals vermeidet. Wir können vielmehr die vielen Wege erkennen, die zwei Seelen miteinander gehen, um sich gemeinsam zu entwickeln. Paolo schreibt von der Liebe, die als ein »karmisches Wiederfinden« begriffen wird, Liebe, die den Weg fortsetzt, den sie schon in vergangenen Leben begonnen hat, Liebe, die sich entfaltet und den Stillstand überwindet, durch den sie in vergangenen Existenzen auf eine harte Probe gestellt wurde.

Crimaldi teilt mit dem Leser seine profunde Kenntnis der astrologischen Materie. Um die Dynamik und die Entwicklung zu verstehen, auf die zwei Partner sich auf karmischer Ebene einlassen, greift er nicht nur auf die Deutung der Mondknoten, des Saturn und der sonstigen Planeten zurück, sondern benutzt auch den so genannten Ehepunkt und den Vertex. Diese beiden Rechenpunkte im Horoskop, die in der gegenwärtigen Astrologie eher selten Verwendung finden, sind für die karmische Horoskopanalyse und Synastrie ein außerordentlich effizientes Instrument. Ich glaube, nach eigenen Untersuchungen im Anschluss an die Lektüre des vorliegenden Buches, dass diese Punkte zusammen mit den Mondknoten die wichtigsten Punkte für eine karmabezogene Analyse sind. Vor allem der Vertex des einen Partners in Konjunktion mit einem oder mehreren Planeten des anderen Partners deutet auf die Ausdrucksmöglichkeiten der Partnerschaft hin, wenn es zu einer

Beziehung kommt. Dabei verwirklicht sich die Qualität der beteiligten Planeten stärker auf der Ebene der Paarbeziehung: Beide Partner profitieren von dem Einfluss dieser Planeten auf ihr gemeinsames Leben. Der Ehepunkt im Einzelhoroskop gibt uns Hinweise darauf, wie der betreffende Horoskopeigner sein Ideal von Beziehung sieht. Es ist diejenige Beziehung, die Einfluss auf die Entfaltung unserer Seele ausübt. In der Synastrie ist der Ehepunkt der Indikator für gemeinsame Themen und Projekte. Beide Horoskopfaktoren müssen in der Astrologie der Gegenwart noch stärker untersucht und erprobt werden. Deshalb sei das vorliegende Buch wärmstens zur eigenen Arbeit und Forschung empfohlen!

Lianella Livaldi-Laun *Lörrach, im August 2002*

Vorwort zur deutschen Ausgabe

Ich freue mich wirklich sehr, dass von meinen Büchern nun auch dieses auf Deutsch vorliegt. Ich habe in der Schule lange Jahre Deutsch gelernt. Aber ich spreche es nicht sehr gut. Freilich liebe ich die deutsche Sprache wegen ihres poetischen Ausdrucks. Ganz offensichtlich bindet mich ein Karma an die deutschsprachigen Länder. So ist mir dieser wunderbare Teil der Welt auch eine zweite Heimat geworden. Asien und natürlich Italien sind mir ebenfalls Heimat. Ich bin Lianella Livaldi Laun und meinem deutschen Verleger Reinhardt Stiehle zutiefst dankbar für das Vertrauen, das sie mir schon in der Vergangenheit entgegen gebracht haben und das sie nun aufs neue bei diesem Buch unter Beweis stellen. Meine Thesen werden sicher, wie schon in Italien, zu einigen Kontroversen führen.

Es ist schon in sich selbst schwierig, über Liebe zu sprechen. Nehmen wir die Reinkarnation noch mit dazu, wird alles noch problematischer. Freilich, ich bin Krebs mit Fische-Aszendent und Skorpion-Mond. Ein Leben ohne Gefühle und ohne Geheimnisse könnte ich nicht ertragen. In dem vorliegenden Buch ist viel von mir selbst und von meinen ganz persönlichen Erfahrungen enthalten. Ich freue mich, diese Erfahrungen vertrauensvoll mit all denen teilen zu dürfen, die die Welt nicht nur unter den Kategorien von Erfolg, Macht, Ehrgeiz und dem Recht des Stärkeren anschauen.

Märchen haben die Kraft, uns als Kinder zu bewahren und zu Kindern reifen zu lassen. Dies wünsche ich auch dem deutschen Leser: dass es ihm immer wieder gelingt, sich dem Leben und den Gefühlen, die das Leben tragen, mit dem Geist des Heranwachsenden anzunähern.

Paolo Crimaldi *Rom, Dezember 2002*

Einführung

Die karmische Astrologie bringt uns unausweichlich in bewusste Verbindung mit unseren Urängsten, mit Unsicherheiten, aber auch mit Erinnerungen, die bislang in unserem Unbewussten ruhten. Sie macht uns begreiflich, warum wir im gegenwärtigen Leben mit einem Partner zusammen sind oder einfach mit Freunden, bei denen wir oft ungeachtet großer Unterschiede in der Lebensweise vom ersten Moment der Begegnung an eine tiefe Übereinstimmung gespürt haben: Wir hatten das Gefühl, den zu finden, den wir schon immer suchten und der unserer Einsamkeit ein Ende macht, wenigstens für eine gewisse Zeit.

Sich in Beziehungen zu entwickeln, läuft auf sehr unterschiedlichen Ebenen ab. Einerseits sind Beziehungen an Karma gebunden. Andererseits hängen sie von der Fähigkeit der beiden Partner ab, auf konstruktive und entwicklungsträchtige Weise dem Weg zu folgen, den die Partner in einer oder mehreren vergangenen Existenzen eingeschlagen haben. Das hängt stark vom eigenen Entwicklungsniveau ab. Nicht alle sind bereit, bestimmte Erfahrungen auch zu machen. Damit soll nicht behauptet werden, dass der, der bestimmte geistige Anforderungen nicht zu verstehen und zu leben vermag, unsensibel und unentwickelt sei – häufiger Vorwurf unter Esoterikern. Er hat sich lediglich dafür entschieden, in diesem Leben andere Arten von Erfahrungen zu machen. Diese tragen jedoch gleichermaßen zu seiner persönlichen Entwicklung bei.

Im Übrigen ist gar nicht gesagt, dass die Bindung zu einem Partner, mit dem man bereits in früheren Leben zu tun hatte, gleichsam unter Garantie die eigene Entwicklung fördert. Mindestens ebenso oft läuft man Gefahr, lähmende Lebenssituationen zu wiederholen und festzuschreiben. Dann wird Wachstum verhindert, es kommt zu schmerzhaften Erfahrungen. Das wiederum erzeugt negative Gefühle, die, sofern sie nicht verstanden und verwandelt werden, womöglich in einem nächsten Leben wieder auf die Tagesordnung kommen.

Schmerz und Leiden haben keinen Sinn, wenn sie nicht bewusst gelebt werden. Es ist keineswegs garantiert, dass die Beschränkung auf eine enttäuschende, unbefriedigende oder gewaltsame Beziehung im gegenwärtigen Leben zu ausgeglichenen und freudigen Gefühlen in einem künftigen Leben führt. Das wäre eine sehr kirchlich-christliche Sicht der Bedeutung von Leiden. Aber diese Blickweise gehört nicht in die karmische Astrologie, die ihre Wurzeln in der Esoterik, der Theosophie, dem Rosenkreuzertum und in östlichen Philosophien hat und letztlich außerkonfessionell ist. Die karmische Astrologie respektiert persönlichen religiösen Glauben. Sie wahrt nach Möglichkeit eine synkretistische spirituelle Haltung, die der transzendentalen Orientierung der *philosophia perennis*, der »immerwährenden Philosophie« nahe zu kommen sucht.

Wenn eine Beziehung lediglich eine Quelle des Leidens ist, wenn der Partner ungeachtet zahlloser Anstrengungen sein Lebensskript nicht ändert, dann ist es in Ordnung, wenn man diese Beziehung beendet. Die Erfahrungen in solchen Beziehungen bringen in keiner Weise weiter, sondern führen nur in emotionale Sackgassen, die man schließlich einfach verlässt. Das Leben befindet sich in ständiger Bewegung. Auf spiritueller Ebene ist Leben ein Prozess des fortwährenden Aufstiegs. So wird schließlich alles überwunden, was Quelle des Niedergangs oder der Stagnation ist. Gewiss soll man ernsthaft versuchen, den Gang der Dinge zu verändern, soll man versuchen, dem Partner eine positivere und konstruktivere Gestaltung der Partnerschaft wie überhaupt seines ganzen Lebens ans Herz zu legen. Wir sollten aber zugleich auch daran denken, dass sich nichts unter Zwang entwickeln kann. Und wir sind nicht die Einzigen, die Wahrheit und Weisheit besitzen. Achtung und Toleranz sind die besten pädagogischen Instrumente, die wir haben.

Auch von daher will das vorliegende Buch dazu beitragen, die oft ambivalente Dynamik zu verstehen, die in Gefühlsbindungen und besonders bei karmischen Gefühlsbindungen vorherrscht. Jedes der folgenden Kapitel ist in zwei Abschnitte untergliedert: Der erste Abschnitt ist jeweils psychologisch gehalten, um auch den Leser, der kein Fachastrologe ist, mit den psychologischen Perspektiven auf das eigene Gefühls- und Beziehungsleben vertraut zu machen. Der zweite Abschnitt ist dann astrologisch gehalten – gedacht für diejenigen, die mit astrologischem Denken und Deuten vertraut sind. Dabei werden die jeweiligen Deutungsschlüssel erläutert, die für den astrologischen Partnervergleich und die astrologische Partnerschaftsanalyse wichtig sind.

Dieses Buch ist freilich zugleich unabgeschlossen, und zwar in dem Sinn, dass manche Denkwege bewusst unerforscht bleiben. Der Leser möge sich angesprochen fühlen, persönliche Antworten vor allem im Einklang mit seiner eigenen Erfahrung und seiner eigenen Einfühlung zu finden.

1.
Karmische Bindungen: Liebe, die aus der Vergangenheit kommt

Nichts, was je gedacht oder gefühlt wurde, geht verloren.
Es liegt beschlossen in der Persönlichkeit, die jeweils gelebt wird.
Es wird von Wiedergeburt zu Wiedergeburt weitergetragen.
R.K. Narayan

In keinem Bezirk unseres Lebens ist das Verlangen
nach der schicksalhaften Bestimmung stärker
als in der romantischen Sphäre.
Alain de Botton

Jeder von uns hatte wenigstens einmal im Leben Gelegenheit, einem Menschen zu begegnen, in den er sich auf Anhieb rettungslos verliebt hat. Sofort konnten sich frei von irgendwelchen raumzeitlichen Beschränkungen tiefe Bindungen entwickeln. Parallel dazu kam das Gefühl tiefer Vertrautheit auf, eine starke Empathie, ein wahres, echtes Gefühl der Übereinstimmung. Es schien, als hätte unsere emotionale und partnerliche Unzufriedenheit ein Ende, weil wir uns nun wieder mit jenem Menschen verbinden konnten, den wir auf geheimnisvoll-unbewusste Weise schon immer gesucht hatten und dessen Ausbleiben uns unruhig gemacht hatte.

Im Allgemeinen geschehen solche Begegnungen paradoxerweise gerade dann, wenn wir darauf verzichtet haben, Gefühlsbeziehungen anzustreben. Wir sind in einem Zustand, wo es uns »reicht«: Wir mögen uns nicht mehr dazu aufraffen, uns selbst im anderen zu finden. Wir geben uns mit der Einsamkeit zufrieden, akzeptieren die Anerkennung im Job, den äußeren Erfolg. Und meist gelingt es uns auch, ein inneres Gleichgewicht zu finden.

Aber das ist genau der Augenblick, in dem die karmische Begegnung oder vielmehr das karmische »Wiederfinden« geschieht. So gehen wir etwa zur Erledigung eines Auftrages mal eben hinaus, wir achten nicht im Geringsten auf unser Erscheinungsbild. Oder wir sind vielleicht bei einer Konferenz oder auf einem Fest im Haus von Freunden. Wir sind nur widerwillig hingegangen. Und da geschieht es, dass wir unversehens von einem Blick, einem Lächeln, einem schlichten Händedruck eingenommen werden. Das verbindet von neuem unser Leben mit dem eines anderen Menschen. Wir sprechen von einer »erneuten Verbindung«. Denn die beiden Seelen waren gewissermaßen nur für eine gewisse Zeit getrennt, weil sie vom einen Leben zu einem anderen Leben hinüberwechselten.

Ein altes japanisches Sprichwort sagt, dass das Schicksal mit der Begegnung beginne. Gerade in diesem Augenblick unseres Lebens sind wir auf eine gänzlich unvorhergesehene Weise jemandem begegnet, der unserem Schicksal eine Wende gibt. Oft freilich geht es anstelle einer Wende mehr darum, dass unser Schicksal für eine Zeit gleichsam frische Farbe bekommt. Das ist nötig, damit wir die Wahl ernst nehmen, die wir mit unserem Entschluss zu dieser Inkarnation getroffen haben. Einige solcher Begegnungen tragen ein karmisches Muster. Aber nur wenige beruhen auf einem echten Wiederfinden: Beziehungen, die bereits in früheren Leben gelebt wurden.

Von einem bestimmten Blickwinkel aus sind alle wichtigen Begegnungen auch dann »karmisch«, wenn sie nicht notwendig ihre Wurzeln in früheren Leben haben. Es gibt Begegnungen, die wir als »karmisch« bezeichnen können, wenngleich sie besser »dharmisch« genannt werden sollten. Sie sind nötig, damit ein bestimmter Entwicklungsweg gegangen wird. Der Partner ist dann sozusagen auch jenseits seiner Individualität als Mittel zu betrachten, das hilft, uns von Schmerzen und Leiden zu lösen. Sonst würden wir Leid und Schmerz besessen immer von neuem durchleben, als folgten wir einem unbewussten Drehbuch, dem wir uns nicht entziehen können.

Gleichwohl handelt es sich bei den karmischen Begegnungen nicht immer um glückliche Begegnungen. Sie können turbulent und quälend sein. Das hängt davon ab, wie die Partner im vergangenen Leben auseinander gegangen sind, wie sie insgesamt ihre Affekte gelebt haben.

Karmische Bindungen erscheinen belastet durch eine Art Unabwendbarkeit, als wäre es unmöglich, sie zu vermeiden, auch in solchen Fällen, wo man schon im ersten Moment ahnt, dass man seinem Peiniger begegnet ist. Und doch gibt es etwas, das stärker ist als unser Wille: Es ist schwer, dem zu entfliehen und sich dann einfach zu trennen.

Eine karmische Beziehung ist durch eine Wahl, durch bestimmte Verhaltensweisen oder einfach durch Ansichten bestimmt, die bereits in vergangenen Leben Geltung erlangt haben. Doch ist es sinnvoll, dies von neuem zu durchleben. Nicht immer hat der jeweilige Partner in der vergangenen Existenz eine Rolle gespielt. Wir haben ihn aber in diesem Leben ausgewählt. Auf diese Weise wird es uns möglich, dasjenige Karma zu bearbeiten und sogar zu überwinden, das mit unserem besonderen Gefühlsleben verknüpft ist. Dies tragen wir seit vielen Existenzen in uns.

Der typische Zwang, stets wieder dieselbe emotionale Beziehungswahl zu treffen, ist bezeichnend für denjenigen, der noch nicht wirklich die Dynamik der eigenen gegenwärtigen Existenz erfasst hat. Er ist vorerst ein Opfer der Konditionierungen, die er in früheren Leben empfangen hat. Sie stecken tief in ihm.

Die Psychoanalyse hat diesbezüglich eine Reihe von Antworten versucht. Aber diese Antworten beziehen sich meistens auf die Objektbeziehungen, die das kleine Kind in den ersten Jahren seines Lebens aufbaut. Solche Objektbeziehungen sind gestört, wenn die Mutter »nicht gut genug« ist, das heißt, wenn sie dem Neugeborenen nicht das Gefühl seiner schöpferischen Allmacht zu vermitteln vermag und damit auch die diesbezüglich unverzichtbare Enttäuschung und Desillusionierung, die für die seelische und emotionale Reifung nötig ist. Wichtig ist das, was Winnicott *Holding* nennt, nämlich das Unterstützen und Annehmen des Kindes auf physischer und seelischer Ebene, physisch, indem das Kind angstfrei in den Armen von Mutter oder Vater ruhen darf, seelisch, indem ihm die Eltern das Gefühl emotionaler Sicherheit vermitteln, weil sie einfühlend mit ihrem Kind umgehen. Um all diese Faktoren dreht es sich, wenn der Ursprung vieler Störungen im Gefühlsbereich untersucht wird.

Das alles ist soweit in Ordnung. Gleichwohl reicht die Psychoanalyse häufig nicht aus, um die Natur gewisser Verhaltensweisen zu erklären. Zwar deuten solche Verhaltensweisen auch Muster an, deren Gründe erkennbar in der schwierigen Beziehung eines Menschen zu seinen Eltern liegen. Aber wie das Material aus Rückführungstherapien belegt, zeigen sich die wahren Ursachen in Verhaltensweisen und Mustern, die in früheren Leben erworben wurden. Dies könnte auch erklären, warum psychotherapeutische Behandlung bei manchen Menschen erfolglos bleibt.

Das Wissen um die emotionale Dynamik der eigenen Elternbeziehung ist nur der erste Schritt zum Wachstum und zur Überwindung von starren Verhaltensmustern. Ähnlich sieht es, ebenfalls auf der Ebene der Psychoanalyse, freilich aus anderen Motiven, James Hillmann, ein Analytiker der jungianischen Schule. In seinem Buch *Der Code der Seele* geht er auf den großen Nachdruck ein, der in psychoanalytischen Theorien auf die frühkindlichen Bedingungen gelegt wird, und zögert nicht, dies als »genetischen Aberglauben« zu bezeichnen und der Kritik zu unterziehen. Er selbst geht vielmehr von Platons »Blick auf die Eichel, aus der die Eiche wird«, aus: Jeder von uns wird von einem Dämon geführt. Man wählt die eigenen Eltern und damit indirekt auch die verschiedenen Bedingungen des gegenwärtigen Lebens. Denn das Dasein der Eltern dient dazu, das zu entwickeln, was *in nuce*, im Kern, in uns steckt. Sie sind das Mittel, welches uns hilft, all das zur Ausreifung zu bringen, weswegen wir auf die Welt gekommen sind.

Hier freilich ist es erlaubt zu fragen, woran man denn eine karmische Bindung erkennt. Zwar gibt es keinen Königsweg zu einer solchen Erkenntnis. Aber nach den Erfahrungen aus meiner astrologischen und therapeutischen Arbeit gibt es gemeinsame Muster bei all den Menschen, die eine Beziehung erlebt haben, welche bereits in einem früheren Leben bestanden hat.

Die Tiefe und die Intensität des Blickes, der besondere Ausdruck in den Augen, ihr Leuchten und all das, was Worte nicht erklären können – meist ist es das, was als Eindruck der allerersten Begegnung haften bleibt, auf unzerstörbare Weise, auch über den Abgrund langer, langer Zeit hinweg. Natürlich kennen wir das sehr wohl in der Sprache der Gefühle. Der Blick macht uns zu gegenseitigen Gefangenen vom ersten Augenblick an. Es ist eine Art Verzauberung, aus der wir uns nur schwer lösen können, egal wer bei uns ist – Freunde, Kollegen, Verwandte. Es ist der tiefe Zauber des Wiederfindens, des Wiedererkennens von jemandem, den wir bereits einmal geliebt oder gehasst haben – in einem oder mehreren vergangenen Leben.

Wenn wir die ersten Momente dieses Spiels mit den Augen hinter uns haben, wenn wir von der Sprache ohne Worte zur Sprache mit Worten übergegangen sind und womöglich auch hierbei feststellen, wie bekannt, wie vertraut der Klang in der Stimme unseres Partners ist, dann kommt in uns rasch ein starkes Gefühl emotionaler Intimität auf, ein tiefes Verständnis auf geistiger Ebene. Wir öffnen uns einer Begegnung, bei der wir entdecken, dass jeder in den Jahren bis zum Zeitpunkt dieser Begegnung auf der Erfahrungsebene gewissermaßen parallel gelebt hat. Häufig ergeben sich Erfahrungen, die sich gleichsam ergänzen, besonders, was die frühe Kindheit betrifft. Diese Erfahrungen sind wie die wiedergefundenen Teilchen zur Vervollständigung eines Puzzles. In der Tat ist die Begegnung nur dann möglich, wenn wir die nötigen Teile zur Fertigstellung des Puzzles, nämlich der Beziehung, gesammelt haben. Das Leben ist dann ganz anders als zuvor. Vor allem gilt es nun, den Erfordernissen, die sich aus solcher Wiederbegegnung ergeben, gerecht zu werden, um störende Bedingungen aufzulösen und eine freie und ausgeglichene Lebensführung zu erleichtern.

Ein zweites wichtiges Element, das eine karmische Bindung im Einzelfall erkennen hilft, zeigt sich in der Unmittelbarkeit, ja Dringlichkeit, einen Hautkontakt herzustellen. Die Hände der Partner möchten einander berühren, einander erforschen. Man möchte den Duft des anderen riechen, man empfindet diesen Duft als vertraut. Jede kleine Bewegung ist neuer Anlass, diesem Menschen, der nun um uns ist, auf körperlicher Ebene zu begegnen. Natürlich darf dieses Kontaktbedürfnis nicht einfach als Instinkt der Leidenschaft und des Eros missverstanden werden. Dieser Instinkt als solcher hat in den meisten Fällen nichts mit Karma zu tun, auch wenn sowohl das karmisch bedingte Bedürfnis zu Hautkontakt als auch der Instinkt des Eros aus der Energie des Ersten Chakra herrühren.

Schließlich gibt es noch einen dritten Aspekt, der uns hilft, die karmische Natur einer Beziehung zu erkennen, und zwar den

Wunsch der Partner nach Gemeinsamkeit vom ersten Moment an. Es gibt zwar eine natürliche Zurückhaltung, eine natürliche Vorsicht. Denn eigentlich legt man nicht gleich alles offen. Und doch ist der Drang zur Verschmelzung im karmischen Fall stärker als alle psychischen Schutzmechanismen, wie wir sie im Lauf des Lebens auf der Grundlage unserer Erfahrungen ausgebildet haben. Generell gilt: Wir vergessen dann alles, was wir uns, für den Fall, dass wir uns neu verlieben, vorgenommen hatten nicht zu tun. Stattdessen zeigen wir wieder, vielleicht zum letzten Mal, dasselbe Muster. Eine karmische Beziehung hat ihre eigene Logik. Sie will helfen, Muster und Blockierungen, die aus vergangenen Leben ererbt wurden, zu überwinden. Wenn die Beziehung in der vorangegangenen Existenz konfliktreich gewesen ist, ist es ziemlich wahrscheinlich, dass sich die erneut auftretenden Konfliktgefühle mit einer gesunden seelischen Verteidigungshaltung verbinden, die im gegenwärtigen Leben erworben wurde. So wird die Beziehung selbst nicht unmöglich. Man hat womöglich das Empfinden, auf etwas zuzugehen, dessen Zielrichtung man noch nicht recht versteht, etwas, das jenseits all unserer möglichen Vorstellungskraft liegt. Aber wir nehmen es in jedem Fall an und leben es mit einer gewissen Unausweichlichkeit. Natürlich stellt uns die Astrologie noch viele weitere Schlüssel zur Verfügung, um zu verstehen, ob es sich in der Tat um eine Beziehung handelt, die bereits in vergangenen Leben wurzelt, ob es ein karmischer Kontakt oder eine schlichte Love-Story ist. Diese Schlüssel werden wir in den folgenden Kapiteln finden.

Kehren wir zu unseren psychologischen Erörterungen zurück. Ich habe festgestellt, dass nahezu alle karmischen Beziehungen eine aufbauende oder aber eine zerstörerische Entwicklungsrichtung haben, jedenfalls stets eine transformierende Potenz besitzen. Es gibt Menschen, die sich durch die Liebe zu einem Partner, den sie bereits in einem Vorleben kennen gelernt haben, aus Fröschen in wunderschöne Prinzen oder Prinzessinnen verwandeln. Es kann auch umgekehrt geschehen, dass sie sich aus Prinzen in Frösche verwandeln. Das liegt an der karmischen Natur des Kontaktes. Wahrscheinlich begünstigt das Wiederfinden diese schicksalhafte Wandlung und gibt so dem Leben eine Wende.

Aber auch mit dem schwierigen Ende einer Beziehung können wir uns wandeln. Wenn es insgesamt eine quälende, schwierige Beziehung mit fortwährenden Höhen und Tiefen war, hört man nicht selten, wenn die Leute wieder allein leben und sich wirklich schlecht fühlen, den eigentlich zukunftsweisenden Satz: »Das war gut für mich!« Was natürlich ironisch oder gar irritierend klingt.

Hier zeigt sich die aufbauende Kraft, wenn eine weitgehend zerrüttete Beziehung endet, ihre entwicklungsmäßige Überwindung, die Erlösung von einem Gewicht, einer Verantwortung. Unser Leib nimmt einen solchen Wandel sofort wahr, während die Seele zu müde ist, sich Rechenschaft abzulegen, sich bewusst zu machen, warum sie sich immer noch darauf einlässt, gequält zu werden, zu leiden, den anderen zu vermissen, sich verlassen zu fühlen. Wenn wir freilich meinen, die wichtigste Sache unseres Lebens verloren zu haben, für die aber keine Basis mehr vorhanden war, ist es gut, ganz in die Gegenwart einzutauchen. Denn nur so lässt sich die Natur dieses Schmerzes verstehen. Nur so kann man dem Leben einen neuen Wert geben, neue Kräfte, Selbstwertschätzung und Mut finden, um vorerst allein zu sein. Es ist genau diese Einsamkeit, die eine Wiedergeburt begünstigt und die es möglich macht, ein neues Kapitel im Leben aufzuschlagen. Und dieses ist sicher anregender, ist reicher an neuen Themen, die es zu entdecken gilt. Und es ist besser geeignet, uns auf denjenigen Schicksalspfad zu bringen, den wir gewählt haben, als wir uns dazu entschlossen, von neuem auf diesen Planeten zurückzukehren.

Die Geschichte

Alles begann an einem nassen Februarnachmittag, als Elisa, eine achtzehnjährige Schülerin im letzten Gymnasialjahr, Alessandro kennen lernte. Dieser war sieben Jahre älter als sie und hatte bereits eine klare Lebensperspektive.

Sie kamen aus ganz unterschiedlichen Milieus. Elisa war ein Mädchen aus der Provinz, aus kleinbürgerlichen Verhältnissen. Er hingegen war der erstgeborene Sprössling einer reichen Adelsfamilie aus der Hauptstadt. Nichts deutete auf ihre Begegnung hin. Es gab keine gemeinsamen Freunde. Sie lebten in verschiedenen Städten, die mehr als dreihundert Kilometer auseinander liegen. Dennoch kreuzten sich ihre Schicksalswege. So konnten sie eine Liebe leben, die ihr Leben verändern würde – mit Aussichten, die völlig verschieden von denen waren, die sie bewusst gewählt hätten. Bevor Elisa Alessandro kennen lernte, wollte sie ihren künstlerischen Neigungen folgen. Sie hatte sich bereits dafür entschieden, nach Abschluss des Gymnasiums in eine große norditalienische Stadt zu ziehen, um dort Schauspielunterricht zu nehmen. Alessandro hingegen hatte die juristische Laufbahn eingeschlagen und befand sich kurz vor dem Examen. Dann würde er seinen Weg mit einem Richteramt krönen. Alessandros bevorstehendes Examen führte zur Begegnung mit Elisa. Alessandro war in Elisas Heimatstadt gefahren, um einem seiner Hochschullehrer einen Besuch abzustatten. Dieser sollte ihm bei der Vorbereitung auf das bevorstehende Examen behilflich sein.

Der Professor wohnte gegenüber von Elisas Schule. Alessandro traf am Nachmittag ein und parkte seinen Wagen direkt vor der Schule. Dann begab er sich zu seiner Verabredung und verbrachte einige Stunden bei seinem Professor. Elisa war zu dieser Zeit in der Schule. Es handelte sich um ein Reformgymnasium, wo auch nachmittags Unterricht stattfand. Es war halb sieben abends. Die Schulglocke läutete wie an jedem Tag. In diesem Augenblick verabschiedete Alessandro sich von seinem Professor und machte sich auf den Weg. Er wollte möglichst rasch nach Hause kommen. Für ihn gab es keinen Grund, auch nur eine Minute länger in dieser nichtssagenden Stadt zu bleiben. Elisa verspätete sich mit dem Heimgehen um einige Minuten, denn sie hatte ein Buch in ihrem Klassenzimmer vergessen. Als sie schließlich nach draußen kam, war sie allein. Dort stand Alessandro und schickte sich an, sein Auto aufzuschließen. In einem merkwürdigen Zauber trafen sich ihre Blicke für einen Moment. Alessandro lächelte und fragte Elisa, ob sie Lust auf einen Spaziergang hätte. Instinktiv bejahte Elisa und war über sich selbst erstaunt, denn ein solches Ja war gegen all ihre Prinzipien.

Alessandro begleitete Elisa nach Hause. Während des Weges tauschten sie die üblichen Banalitäten aus. Vor Elisas Haus machte jedoch keiner der beiden Anstalten, sich zu verabschieden, und so erzählten sie einander ihre Lebensgeschichte.

Als ihnen bewusst wurde, dass drei Stunden verstrichen waren, floh Elisa ins Haus. Sie hatte Angst vor der Reaktion ihres Vaters. Doch sie küsste Alessandro zärtlich auf die Wange. Sie war sofort hingerissen von seinem Duft. Er war tief berührt von Elisas Kuss, der zwar verschämt, doch unglaublich sinnlich war. Aber damit schien auch schon alles passiert zu sein. Es gab keine Telefonnummer, über die die beiden hätten Kontakt aufnehmen können. Und so schien es auch keine Möglichkeit zu geben, sich noch einmal wiederzusehen. Aber beide dachten aneinander. Und Alessandro kam die Idee, bei dem betreffenden Dozenten Privatunterricht zu nehmen. Irgendwie wollte er vor seinen Eltern die weite Strecke rechtfertigen, die er fahren musste, um Elisa wiederzusehen. Alessandros Professor wurde damit unwissentlich zum Cupido bei dieser Liebesgeschichte. Elisa dachte an ihrer beider Begegnung als etwas Besonderes. Als sie aber davon ihren Freundinnen erzählte, glaubte ihr niemand. Man riet ihr, Regisseurin statt Schauspielerin zu werden, wenn sie doch eine derart romantische Geschichte erfinden könne!

Genau eine Woche war vergangen. Wieder läutete die Schulglocke. Elisa hatte den ganzen Tag daran gedacht, was ihr eine Woche zuvor beim Verlassen des Schulgebäudes widerfahren war. Und im Geist erlebte sie noch einmal diese Augenblicke. Doch auch Alessandro hatte eine Woche damit zugebracht, über seine Begegnung mit Elisa nachzudenken. Darum konnte er diesen ersten »Jahrestag« gar nicht verfehlen, auch wenn gerade mal eine Woche verstrichen war. Pünktlich um halb sieben abends am Donnerstag darauf fand er sich am Ausgang von Elisas Schule ein. Als Elisa ihn entdeckte, bekam sie einen richtigen Schock. Sie wusste nicht, ob sie lachen oder weinen sollte. Aber ihr Herz schlug bis zum Hals. Auch Alessandro konnte seine Bewegung nicht verbergen. Mit ihren Blicken zogen sie einander magnetisch an. Und vor allen Leuten küssten sie sich leidenschaftlich und begannen so, wenigsten formal, ihre Liebe.

Nach kurzer Zeit waren sie glücklich verlobt. Ihr Leben wandelte sich. Er entschloss sich zu einer freiberuflichen Laufbahn, sie gab ihren Wunsch nach einer Schauspielkarriere auf und schrieb sich an der Universität ein. Auch innerlich stellte sich ein Wandel ein. Ales-

sandro fand nun die Kraft, sich mit seinen Eltern auseinander zu setzen und genau die Arbeit zu tun, die er eigentlich wünschte. Elisa hingegen hatte in Alessandro einen Menschen gefunden, der sie anregte, der ihr das Gefühl gab, klug zu sein, und der ihr vor allem eine konkrete Zukunft vor Augen stellte. Die Geschichte der beiden nahm einen wundervollen Fortgang. Es war für beide die erste große Liebe.

Gemeinsam war es ihnen gelungen, ihrem Leben eine Richtung zu geben, die in wunderbarem Einklang mit ihrem karmischen Entwicklungsplan stand. Alles hätte so weitergehen können, wenn Alessandro sich nicht in eine andere Frau verliebt hätte. Überdies gab er am Ende doch dem Druck seiner Eltern nach.

Die Liebesgeschichte von Elisa und Alessandro endete auf eine Weise, die man weder als gut noch als hässlich beschreiben kann. Aus und vorbei! Das Leben der beiden verlief auf ganz unterschiedlichen Gleisen. Ihre Begegnung hatte beiden dazu verholfen, den Weg zu finden, der ihre Existenz wahrhaftig machte. Elisa ist inzwischen eine anerkannte Akademikerin. Dank ihrer Arbeit konnte sie sich sogar ihren Jugendtraum erfüllen. Sie lebt allein und hat keine Neigung zu weiteren Partnerschaften. Alessandro konnte seine Berufsabsichten verwirklichen. Er ist verheiratet und hat eine Tochter.

Sie haben sich nicht wieder gesehen. Aber eine gemeinsame Freundin hält zu beiden Kontakt und gibt so beiden die Gelegenheit, einander weiter zu begegnen, wenn auch auf unterschiedlicher Ebene. Zwischen den beiden gibt es keinen Groll mehr, keine Wut, vielmehr ein angenehmes, zärtliches Mitempfinden. Beide verfolgen das Leben des anderen aus der Distanz, beide sind aufrichtig dankbar, dass der andere Teil des eigenen Lebens gewesen ist.

Dies ist ein schönes Beispiel für eine karmische Begegnung, die mit Feingefühl verwirklicht und zu einem Ende geführt wurde, in der nicht geklammert wurde, sodass Wachstum und Entwicklung, wie jeder Partner sie in seiner jetzigen Inkarnation gewählt hatte, ungehindert geschehen konnten.

Tabelle 1:
Wie man eine karmische Bindung erkennt:

1. Die erste Begegnung konzentriert sich auf den Blick.
2. Gefühl unmittelbarer emotionaler und / oder geistiger Vertrautheit.
3. Wenig spektakuläre Erfahrungen bis zu dem Augenblick der Begegnung.
4. Unmittelbares Bedürfnis nach Hautkontakt.
5. Unmittelbares Verlangen, etwas miteinander zu teilen.

2.
Die Beziehung zwischen Vergangenheit und Gegenwart: Das Horoskop der Partnerschaft

Ich begreife nun, dass die Liebe,
die romantische, die entwickelte, erwachsene Liebe
der leidenschaftlichen Hingabe an ein Ideal gleichkommt.
Patrick McGrath

Es war da, ehe ich kam.
Es ist jetzt da, da auch ich zugegen bin.
Und nun weiß ich, was es heißt, sein Dasein zu achten.
Banana Yoshimoto

Vielleicht ist nichts schwerer, als von Partnerschaft zu sprechen. Denn deren Gleichgewicht ist stets labil, anfällig und in einem ständigen Wandel begriffen. Freilich, um zum Thema der Partnerschaft zu gelangen, müssen wir zunächst einen Schritt rückwärts machen und mit dem Augenblick beginnen, da zwei Menschen sich ineinander verlieben – jener eigentümliche und magische alchimistische Prozess, der es zwei einzelnen Personen möglich macht, sich an einem Ort genau zu dem Zeitpunkt zu begegnen, da ihre emotionalen und partnerschaftlichen Bedürfnisse im Gleichklang sind. Liebe bedeutet stets Eintracht zwischen zwei Personen im Blick auf Zeit und Gestimmtheit. Deshalb ist das Gleichgewicht der Liebe oft so brüchig, nie wirklich definiert. Denn eine der beiden Personen kann in einem beliebigen Augenblick ihres Lebens, aus einsichtigen oder mehr zufälligen Gründen, ihr Verhältnis gegenüber dem Partner wandeln. Dann wird die Beziehung beendet oder ihr Rhythmus ändert sich merklich.

Die Liebe ist eine Grunderfahrung, die wir alle wenigstens einmal im Leben gemacht haben. Wir alle wissen um die Qualen, wir wissen darum, wie das Denken auf die geliebte Person fixiert ist, um unsere Träume und Tagträume, in denen wir tausend romantische Abenteuer bestehen.

In Liebe zu sein ist ein Zustand, in dem wir emotional gänzlich mit der geliebten Person verschmolzen sind. Niemand außerhalb-der Sphäre des betreffenden Paares selbst kann diesen Zustand in seiner Ganzheit, seiner Dichte begreifen. Jedes sich Verlieben ist von eigener Qualität, verschieden von entsprechenden früheren Erfahrungen. Es ist ein Zustand, der jeweils einzigartig ist.

Naturgemäß beginnt eine Geschichte, wenn wir uns verlieben. Diese fängt damit an, wie wir einander begegnen. Oft handelt es sich um eine »gefährliche Liebe«. So jedenfalls stellt Maria Rita Parsi es fest. Solch eine Liebe hat »ihre Wurzeln in der familiären, sozialen, kulturellen und spirituellen Herkunft eines jeden, der sich in dieser Herkunft als bedrängt, abhängig und womöglich zerstört erlebt« (M.R. Parsi: L'amore dannoso. Milano 1999, S. 12). Oder es handelt sich um eine Liebe, die unlösbar mit Schmerz und Leid verknüpft ist aufgrund einer schwierigen Gefühlserfahrung, sei es im gegenwärtigen Leben, sei es in anderen Leben, sei es mit den eigenen Eltern oder mit früheren Partnern. Das hat Aldo Carotenuto im Blick, wenn er schreibt:

»Es gibt keinen anderen Zustand, in dem der Mensch so bereit ist, um eines anderen willen Leid zu ertragen wie in dem der Liebe. Das mag dem seltsam erscheinen, der meint, Liebe müsse unfehlbar Glück bescheren. Das freilich ist die Illusion, die wir uns machen, um die endlosen Stunden des Leidens zu überstehen. Marguerite Yourcenar hat Recht: Nur die, die wir lieben, können uns mit der Intensität leiden machen, in der wir sie lieben.« (A. Carotenuto: Eros e pathos: Milano 1987, S. 68)

Leiden wird dann zum Bedürfnis. Man wiederholt gleichsam das alte Muster, welches offenbar die einzige bekannte Weise ist, eine Verbindung aufrecht zu erhalten. Hier liegen die eigentlichen emotionalen Wurzeln in vorangegangenen Existenzen. Aber von hier aus muss auch der Wandel und die Auflösung dieses alten Musters seinen Ausgang nehmen, von hier aus gilt es, eine neue Art des Liebens zu lernen, die weniger anstrengend ist.

Freilich dürfte dann das Verlieben jene stürmische und schwierige und zugleich so faszinierende Leidenschaftlichkeit einbüßen, wie sie der eigentlich unausführbaren Heldenfahrt eignet. Dann verschwinden die hundertköpfigen Drachen, die es zu überwinden, die Prinzessinnen, die es aus verborgenen, verwunschenen

Schlössern zu erlösen gilt. Dann wird die Liebe zu einer normalen Angelegenheit. Ausgeglichenheit und Stabilität greifen Raum und tragen dazu dabei, statt eines Luftschlosses ein sicheres Hüttchen für das Nest zu zweit zu bauen. Freilich gelingt dieser Wandel nur dann, wenn die Liebenden sich der Lasten bewusst werden, die sich seit manchen Leben angesammelt haben – in emotionaler, gefühlsbezogener und partnerschaftlicher Hinsicht.

Liebe ist somit unverzichtbar auf ein Gegenüber angewiesen, besteht dies nun in der Fantasie oder tatsächlich. Denn Liebe hängt nicht nur von unserer eigenen Anlage und Empfänglichkeit ab, sondern auch von der unseres Gegenübers. Liebe ist eine Erfahrung, die auf Vorsicht beruht. Es ist offenkundig gefährlich, Liebe für etwas Festes und Wohldefiniertes zu halten. Denn im Leben selbst regiert das Prinzip des Todes und der Wiedergeburt. Und Liebe *ist* Leben. Man kann sich diesem dualistischen Prinzip nicht entziehen.

Das freilich bringt uns keineswegs dazu, uns nicht zu verlieben und den Aufbau einer Beziehung zu vermeiden. Die Gefährlichkeit der Liebe scheint vielmehr stimulierend zu wirken. Was aber geschieht auf seelischer Ebene, wenn wir uns verlieben?

Zu allererst müssen wir den Weg vom *Ich* zum *Du* und dann zum *Wir* bewältigen. Sobald wir dem anderen begegnen, konfrontieren wir uns unmittelbar mit unseren eigenen egoistischen Wünschen, mit unserem Ego. Wir wollen bewusst gefallen. Wie um einer narzisstischen Vergewisserung willen schauen wir häufiger in den Spiegel. Wir interessieren uns für unsere eigene Person, wir machen uns besonders schön zurecht, bevor wir den Partner treffen. Das kann mitunter zur Besessenheit werden. Mancher gerät geradezu in Angst, dem anderen nicht mehr zu gefallen oder die Erwartungen des anderen zu enttäuschen. Hier wird ein Charakterzug der Unsicherheit offenbar, der seinen Ursprung in der frühen Kindheit des gegenwärtigen Lebens oder in früheren Existenzen hat.

In dieser ersten Phase der Liebe sind wir ganz durch unser eigenes Ego gefangen. Wir wollen um jeden Preis gefallen. Das ist auch stärker als das Interesse, das wir tatsächlich für unseren Partner hegen. Gerade in dieser Zeit vollzieht sich in uns die Verwechslung von Gefallen und Sehnsucht. Der psychologische Unterschied zwischen diesen beiden Haltungen lässt sich folgendermaßen beschreiben: Wenn ich eine Person »will«, um mein unmittelbares Bedürfnis zu befriedigen, erfülle ich meine Lust, sofern diese Person zur Verfügung steht. Wenn ich einen Kuchen haben will und in die Konditorei gehe, um mein Bedürfnis zu befriedigen, ist es ebenso. Lust und Gefallen haben den Anstrich des unmittelbaren Konsums. Sie lassen keinen Raum für Träume, Fantasien. Sie sind gewissermaßen rein epikuräischer Natur.

Die Sehnsucht ist schmerzlicher, ist weniger einfach zu verwirklichen, wenn überhaupt. Deshalb ist sie wahrscheinlich kostbarer, gefühlsbeladener, von Erwartungen befrachtet. Wollte ich die *Mona Lisa* von Leonardo da Vinci erwerben, so wüsste ich sehr gut, dass dieser Wunsch nie erfüllt wird, auch wenn ich der reichste Mensch der Welt wäre. So würde ich aber in diesem Fall nichts anderes tun, als mich nach der *Mona Lisa* zu sehnen, in der wahrscheinlich vergeblichen Hoffnung, dass sich dereinst die Dinge ändern könnten.

Insofern bezeichnet Sehnsucht etwas Erhabenes und eigentlich Unmögliches. Doch sie ist zu Beginn einer Beziehung unabdingbar, damit wir nicht im Verlauf weniger Augenblicke das Interesse am anderen verlieren, um dessentwillen wir uns den Verstand haben rauben lassen und unser Verlangen entflammt ist. Das geschieht genau dann, wenn wir dessen inne werden, dass wir in die Phase des Du übergehen. Hier ist unser Herz gleichsam vom Partner besetzt, von seinen Worten, seinen Blicken, seinem Duft. Der andere dehnt sich gewissermaßen gänzlich in uns aus. Wir sind völlig in ihn verstrickt. Häufig imitieren wir den Partner unbewusst, passen uns seinem Geschmack an. Das kann in pathologischen Fällen bis zur Persönlichkeitsspaltung gehen, die das seelische Gleichgewicht empfindlich stört. Liebe wird dann zur Besessenheit. In mancher Hinsicht ist dies der schwierigste Augenblick einer Beziehung. Anstelle von Ausgeglichenheit ist unter Umständen Angst das vorherrschende Gefühl. In diesem Augenblick kommt das Bedürfnis auf, alles vom Partner in Erfahrung zu bringen. Unsere Ängste und Unsicherheiten fangen an zu blühen, besonders dann, wenn man feststellt, dass ein Teil der Vergangenheit des Partners noch in seinen Gedanken präsent ist. In der Tat, die

Vergangenheit, die dem Liebenden Angst macht, ist nicht die, die nun wirklich vergangen und vergessen ist, sondern die, die noch da ist: Sie ist für den Geliebten ungeachtet all derer, die um ihn herum sind und die ihn erleben, gegenwärtig, sie erfüllt seine Gedanken, seine Träume, erzeugt Rachegelüste oder tiefe Nostalgie.

Wenn es gelingt, die Phase des Du zu überwinden, wird ein doppelter Schritt vollzogen. Nicht nur geht es zum Wir, sondern es geschieht auch der Wechsel vom Verliebtsein zur wahren, echten Liebe, in der das vorherrschende Gefühl nicht ausschließlich die Leidenschaft ist, sondern auch Festigkeit, eine emotionale Stabilität in der Konfrontation mit dem Partner. Damit wird die Beziehung auch im Alltag gestaltbar, ohne deswegen zur Routine zu erstarren.

Sehr häufig kommt es vor, dass Liebende diesen Wandel nicht zu vollziehen vermögen. Sie unterstellen instinktiv mit dem Aufhören jener hochemotionalen Spannung in der eigentümlichen Phase des Verliebtseins ein Desinteresse, eine Entfremdung vonseiten ihres Partners. Sie werfen dann alles hin, um eine neue Beziehung einzugehen. Dieses Ritual wird ständig wiederholt, Einsamkeit und immerwährendes Unbefriedigtsein sind damit unvermeidlich.

In der Phase des Wir haben wir als Liebende gelernt, den Partner weitgehend ohne Erwartungen und Ansprüche anzunehmen. Wir haben die meisten unserer Projektionen zurückgenommen. Wir stecken gegenseitig unsere Lebensräume ab, die jeweils eigenen Oasen persönlicher Zurückgezogenheit, ohne uns deswegen vom Leben des anderen auszuschließen oder ausgeschlossen zu fühlen. Denn nun ist in uns ein Gefühl des Vertrauens gewachsen. Wir haben vor allem das Bedürfnis überwunden, den Partner völlig in Besitz zu nehmen. Und so haben wir auch unsere eigene Existenz zurückgewonnen und leben nicht mehr, wie noch in der Phase des Du, als eine Art Funktion des Partners. Wir fangen nun von neuem an, unsere eigenen Interessen zu vertreten, unsere Pläne und Vorlieben. Und wir tun dies in dem Bewusstsein, dass wir, soweit möglich, auch den anderen daran teilhaben lassen – nämlich die Person, mit der unser Leben zu teilen wir uns entschieden haben.

In der Phase des Wir also entwickelt man eine »Partnermentalität«, ein »Denken zu zweit«, indem man die Dinge nicht mehr egoistisch als eigene betrachtet und man sich zugleich nicht daran hindern lässt, die Dinge seines Geliebten zu benutzen. Mit anderen Worten, die Magie der Intimität hat sich ausgewirkt, ein Raum ist geschaffen, in dem es gestattet ist, ohne Umschweife, direkt und unmittelbar zum anderen Zugang zu erhalten, auch auf die Gefahr einer Zurückweisung, eines Nein hin, was freilich keine Bedrohung für die Stabilität der Bindung bedeutet. In einer Beziehung geht es im Übrigen auch nicht um Perfektion, sondern um Gleichgewicht.

Häufig freilich gelangt man kaum zu dieser Phase. Und das nicht etwa, weil sie besonders kompliziert wäre oder weil wer weiß wie schwierige Proben der Liebe verlangt würden, sondern einfach, weil »einer der beiden Partner verbal fordert ›liebe mich!‹ Aber da er fürchtet, dass die Liebe immer vom Verlassenwerden begleitet wird, hat er zugleich Angst, tatsächlich geliebt zu werden. Er ist sich dessen nicht bewusst. So erwartet er zugleich auf nonverbaler Ebene, nicht geliebt zu werden. Egal, was der andere Partner tut, es erweist sich als falsch. Denn er kann nur auf einer einzigen Ebene dieser Doppelbindung antworten.« (M. Elkaim: Se mi ami, non amarmi. Torino 1992, S. 15)

In genau dieser Haltung, die eben als Doppelbindung bezeichnet wird, besteht die Schwierigkeit, eine Beziehung auf die Ebene des Wir zu bringen. Es kann freilich auch geschehen, dass eine Liebe endet, weil die Leidenschaft der Routine Platz gemacht hat oder weil einer der beiden Partner schlicht einen anderen Weg eingeschlagen hat, weil einer der Partner auf seinem Weg seelisch gewachsen ist, während der andere noch in den Mustern der anfänglichen Beziehung gebunden ist.

Was geschieht nun, wenn es zur Trennung gekommen ist? Die Antwort ist einfach: Derselbe Prozess, der zur Bildung des Paares geführt hat, läuft erneut ab, diesmal freilich rückwärts. Vom Wir geht es zurück zum Du und dann zum Ich – in Phasen, die leidvoll sind und die in uns ein gewisses Misstrauen gegenüber allem, was um uns herum ist, erzeugen.

In der ersten Phase, der des Wir, sind wir noch in der Mentalität eines Paares gebunden. Dass man wieder allein ist, ist schwer zu begreifen. Häufig werden wir gewahr, dass wir so handeln, als wäre der andere noch mit uns zusammen. Es fehlt nicht an Krisen aus rückwärts gewandter Sehnsucht. Wir haben Angst und empfinden Unbehagen, uns wieder auf ein Leben allein einzurichten.

Langsam erreicht man dann die Phase des Du, in der die Konflikte mit dem Partner zum Vorschein kommen. Unsere Wut kommt hoch, nun können wir dem Ex-Partner alles sagen, was wir über ihn denken, all die Dinge, die wir oft peinlich genau über Wochen hin ausformuliert haben. Oder wir legen ungeheure Feindseligkeit an den Tag, mit der wir den ehemaligen Partner zurückzuweisen vermögen. Dabei freilich wird uns lediglich klar, dass der Partner immer noch einen großen Teil unseres Denkens ausmacht. In manchen Augenblicken kann sich das zu einer echten Besessenheit auswachsen. Wenn wir ihm zufällig und unerwartet begegnen, gelangen wir in einen Zustand allgemeinen Missempfindens, den wir nur mühsam verbergen können: Wir geraten schrecklich in Wut, wir benehmen uns, ohne es zu bemerken, völlig lächerlich und sind weit weg von dem, was wir eigentlich wollen.

Die Phase des Du dauert am längsten. Aber wenn sie aufmerksam und im Sinn eines bewussten Verstehenwollens durchlebt und nicht verdrängt wird, kommt man unweigerlich wieder zu sich selbst und erreicht damit die Ebene des Ich.

In uns selbst finden wir dann die Kraft, angemessen auf die Vergangenheit zu reagieren. Vor allem entdecken wir – vielleicht eines Morgens beim Aufwachen –, dass wir im Frieden mit uns selbst und mit der Welt sind. Uns umgibt ein allgemeines Gefühl der Heiterkeit und Freude, das eine Phase unbeschreiblichen Wohlbefindens einleitet. Uns wird bewusst, dass wir unser Leben wieder in die eigene Hand genommen haben, dass wir unserer inneren Welt mit neuer Energie gegenübertreten können, um all dem, was wir zuvor grau in grau gesehen haben, eine neue Farbe zu geben.

Die Rückkehr zum eigenen Selbst ist stets eine erhebende Erfahrung, vergleichbar nur mit dem sich Verlieben. Es handelt sich um eine Neuentdeckung der eigenen Kräfte, die dann wieder vollständig zur Verfügung stehen. Bei dieser Rückkehr tun wir ja auch nichts anderes als uns zu verlieben, nämlich in uns selbst – mit dem einzigen Unterschied, dass unsere Liebe nicht von einer anderen Person abhängt, sondern einzig von unserer Fähigkeit, ungehindert und unvermittelt in unser eigenes Herz einzukehren.

Die Liebe aus der Sicht der Astrologie

Eine der interessantesten astrologischen Techniken, eine Gefühlsbindung zu analysieren, ist der Partnervergleich (Synastrie). Mit einer gewissen Vorhersagbarkeit lassen sich mit ihr die Struktur und die Dynamik einer Beziehung erfassen. Vorzüge und Probleme der Beziehung können beleuchtet werden. Ganz praktisch kann eine Synastrie dabei helfen, die Beziehung besser zu gestalten, indem man mögliche Unverträglichkeiten erkennt und damit zugleich abschwächt.

Eine Analyse mithilfe des Partnervergleichs darf freilich nicht als Alibi benutzt werden, um eine Beziehung zu beenden, die uns vielleicht aus verschiedenen Gründen nicht behagt. Ebenso wenig dient eine Synastrie dazu, das eigene Verhalten mit der Absicht zu manipulieren, eine Beziehung, die an sich vorbei ist, halten zu wollen. Liz Greene trifft nach meiner Ansicht ins Schwarze, wenn sie schreibt: »Die traditionellen Techniken der Synastrie sind eine nützliche Linse, durch die man die in einer Beziehung wirksamen Energien erkennen kann. Wendet man diese Techniken in einem allzu buchstäblichen Sinn an, innerhalb eines allzu festgelegten Rahmens, so können sie jedoch schlimmer als nutzlos sein – sie können einen absolut in die Irre führen. Die Entscheidung, ob man eine Beziehung anknüpfen oder beenden soll, sollte man niemals auf den Vergleich von Horoskopen gründen. So etwas wie zwei himmlisch füreinander bestimmte Geburtshoroskope gibt es nicht. Ebensowenig wahrscheinlich wie zwei göttich füreinander bestimmte Menschen, es sein denn als Symbol der inneren Ehe. Und überdies gibt es diesen unerklärlichen Faktor X, das Selbst, das auf dem Geburtshoroskop nicht dargestellt ist und welches das Geheimnis der zielbewußten Entwicklung des einzelnen Menschen im Laufe seines Lebens enthält.« (Liz Greene: Kosmos und Seele, Frankfurt 2002, S. 155)

An dieser Stelle sollte man sich auch daran erinnern, dass die Synastrie erst der zweite Schritt bei jener Arbeit ist, die ihren Anfang in der Radix-Deutung für die jeweiligen Partner hat. Es ist ziemlich witzlos, die astrologischen Beziehungen zwischen den beiden Geburtshoroskopen zu analysieren, wenn die Deutung der Einzelhoroskope ungewiss bleibt.

Sofern wir nicht zuvor wissen, in welcher Art Beziehung zwei Horoskopeigner leben, wenn wir nicht wissen, was für Schicksale uns in emotionaler und partnerbezogener Hinsicht in den beiden Horoskopeignern begegnen, erscheint der Partnervergleich außerdem ziemlich überflüssig. Die Synastrie kann von einer richtigen Wahl abhalten, sie kann viel Verwirrung stiften.

Außer den klassischen Faktoren im Geburtshoroskop, die das Gefühls- und Partnerschaftsverhalten andeuten (Mond, Venus, Spitzen des 5. und 7. Hauses und die Herren dieser Häuser usw.), gibt es zwei Punkte, die erst seit kurzem in die astrologische Betrachtung mit einbezogen werden: den Ehepunkt und den Vertex.

Der Ehepunkt liefert uns Hinweise auf jene Art von Beziehung, die für uns mehr oder weniger das Ideal darstellt. Selbstverständlich soll der Begriff der Ehe und des Ehepunktes hier nicht bedeuten, dass es nur um Beziehungen geht, die durch eine Unterschrift besiegelt sind. Vielmehr betrachten wir mit dem Ehepunkt generell Beziehungen von längerer Dauer. Anders gesagt, der Ehepunkt klärt uns über die unverzichtbaren Eigenschaften einer solchen Beziehung auf, die für uns von weit reichender Bedeutung ist und von entsprechender Dauer sein kann.

Das Symbol für den Ehepunkt zeigt zwei Trauringe, die miteinander verbunden sind und teilweise übereinander liegen. Es soll in seinem Gehalt auf unsere Fähigkeit hindeuten, mit der wir in Beziehung zum anderen, zum Partner treten. Derjenige Teil des Symbols, wo die beiden Ringe wirklich übereinander liegen, möge das Wir bezeichnen, die enge Verbindung, die Symbiose, während die äußeren Seiten der beiden Ringe das jeweilige Ich der beiden Partner symbolisieren – die unverletzlichen Rückzugsräume des jeweiligen eigenen Selbst, die Privatsphäre, die Freiheit des Handelns und Denkens unabhängig vom anderen.

Dieser sensitive Punkt im Geburtshoroskop deutet auch an, welchen Raum wir Beziehungen überhaupt gewähren und welche Rolle dabei das Wir spielt. Auch unsere Bereitschaft oder Zurückhaltung in Bezug auf das Eingehen von Beziehungen ist durch diesen Punkt gekennzeichnet.

Bei der Analyse des Ehepunktes sind vor allem die Aspekte zu den Planeten im Geburtshoroskop wichtig. Man sollte zunächst nur die großen Aspekte in Betracht ziehen und mit einem geringen Orbis bis zu zwei Grad arbeiten. Da der Ehepunkt hauptsächlich auf der Länge von Aszendent und Deszendent beruht, erhält man leicht eine ungenaue Position des Ehepunktes, vor allem dann, wenn die Geburtszeit nur ungefähr bekannt ist und das Horoskop nicht rektifiziert ist.

Vor allem Quadrate und Oppositionen führen zu Schmerzen und Schwierigkeiten bei der Gestaltung des Zusammenlebens. Wenn man freilich lernt, die anfänglichen Probleme zu bewältigen, die oft mehr aus der eigenen Verteidigungshaltung als aus einer tatsächlich schwierigen Lage resultieren, kann es gelingen, feste und dauerhafte Beziehungen zu etablieren, in denen der Wunsch nach Vereinigung und Verschmelzung erfüllbar wird.

Liegen viele Quadrate vor, wird dieses Bedürfnis unter Umständen vom ersten Augenblick an auf pathologische Weise gelebt. Im Verlauf der Beziehung wirkt dies auf den Partner erstickend oder führt zum brüsken Abbruch der Beziehung. Trigone deuten allgemein Klarheit über die Ziele der eigenen Bindungswilligkeit an. Der Planet, der mit dem Ehepunkt im Trigon steht, gibt die zur guten Verwirklichung nötige Energie. Sextile helfen uns, unsere eigenen Bedürfnisse mit denen des möglichen Partners in Einklang zu bringen. Man wird gewissermaßen geschmeidig und kreativ, um all die Härten zu transformieren, die einen mitunter daran hindern, sich einer neuen Beziehung zu öffnen. Die Konjunktionen dürften die stärksten Aspekte sein, vor allem wenn der Planetenpartner der Konjunktion zugleich Herr des Aszendenten oder des Deszendenten ist. Dieser Planet verweist auf das Ziel des Zusammenlebens oder, wie Pierre Lassalle bemerkt, auf das, was sich bei einem Paar im Innersten entfalten soll.

Der Ehepunkt reagiert ausgesprochen stark auf Transite. Der Transitplanet setzt gegebenenfalls die im Ehepunkt des Geburtshoroskops angedeuteten Potenziale frei. Der Transit des Jupiters etwa über den Ehepunkt kann eine optimistische Haltung begünstigen. Der Geborene mag dann in sich den Impuls spüren, sich in seinem Beziehungsleben zu verwirklichen, sofern nicht Transite existieren, die in eine andere Richtung weisen.

In der Synastrie bringen die harmonischen Interaspekte zum je-

Tabelle 2: Berechnung des Ehepunktes

Die Formel lautet: *Aszendent + Deszendent – Venus*

Als Beispiel gelte:

Länge des Aszendenten:	10° Widder
Länge des Deszendenten:	10° Waage
Länge der Venus:	20° Stier

Zuerst rechnet man die Längen von Aszendent, Deszendent und Venus in absolute Längen ab 0° Widder um:

Länge des Aszendenten:	10°
Länge des Deszendenten:	190°
Länge der Venus:	50°

Dann wird berechnet: 10 + 190 = 200 – 50 = 150°

Dies korrespondiert mit 0° Jungfrau als dem Ehepunkt.

Wenn das Resultat größer als 360° ist, werden 360° abgezogen, dann wird umgerechnet.

Hilfstabelle zur Umrechnung von Längen im Tierkreis in absolute Längen

0° Widder	0°
0° Stier	30°
0° Zwillinge	60°
0° Krebs	90°
0° Löwe	120°
0° Jungfrau	150°
0° Waage	180°
0° Skorpion	210°
0° Schütze	240°
0° Steinbock	270°
0° Wassermann	300°
0° Fische	330°

weiligen Ehepunkt, besonders die Konjunktionen, das Paar zur Verwirklichung einer Gemeinsamkeit, die durchaus auf ein ganzes Leben angelegt sein kann. Die Spannungsaspekte können zu Verständnisproblemen zwischen den beiden Partnern führen mit entsprechend schwierigen Aussichten.

Der zweite wichtige Punkt bei der Analyse der astrologischen Faktoren in der Partnerschaft ist der *Vertex.* Es handelt sich um einen rechnerischen Punkt, der zuerst von dem US-amerikanischen Astrologen Edward Johndro verwendet wurde. Charles Jayne, ein in Amerika hoch geschätzter Autor, sorgte dann für die Verbreitung dieses Ansatzes. Das Symbol für den Vertex zeigt ein gefülltes Gefäß. Es soll all unsere Fähigkeiten anzeigen, die wir vor allem dann zum Ausdruck bringen, wenn wir in Gemeinschaft mit jemand anderem sind. *(Anm. des Übers.: Man kann das Symbol des Vertex auch als auf dem Kopf stehendes A lesen. Der Vertex ist eine Art »Ko-Aszendent«, sodass man sich A wie Aszendent leicht merken kann.)* Aus diesem Grund ist es wichtig, ihn innerhalb der Synastrie besonders zu berücksichtigen. Mit dem Vertex verstehen wir diejenigen Angelegenheiten, die nach Verbindung streben, diejenigen Ziele, die häufig auch den Partner betreffen. Das Haus, in dem der Vertex im Radix steht, bezeichnet den Lebensbereich, in dem wir unsere Möglichkeiten am besten zum Ausdruck bringen können. Aber egal welche Erfahrung der Vertex für uns bereit hält, er bedarf immer des anderen, um zum Ziel zu kommen. Dem Vertex muss man so gewissermaßen auch Bedeutungen aus der Analogiekette Waage, Venus und 7. Haus zumessen. Aus karmischer Sicht verweist der Vertex auf das schicksalhafte Wiedererkennen, sich Wiederfinden. Beim Vergleich der Partnerhoroskope zeigt uns der Vertex in den Interaspekten, die er mit den Planeten und Achsen des jeweils anderen Horoskop bildet, die Art der Beziehung, die die beiden Partner in einem früheren Leben geführt haben.

Konjunktion und Opposition zum Vertex sind die wichtigsten Aspekte. Auch bei diesem Punkt sollte der Orbis klein sein, nämlich nicht mehr als drei Grad um den exakten Winkel.

Die Konjunktionen zeigen insgesamt an, welchem Partnertypus wir schicksalsmäßig begegnen wollen, um unser eigenes Beziehungspotenzial, wie es im Vertex angedeutet ist, zu verwirklichen. Die Natur des Planeten, der die Konjunktion bildet, gibt Hinweise auf das Typische am Partner. Steht der Vertex zum Beispiel in Konjunktion mit Merkur, ist es sehr wahrscheinlich, dass der Wahlpartner deutlich jünger ist. Oder er zeigt außergewöhnliche Energie, die im Gefühlsleben des Horoskopeigners eine Wende herbeizuführen vermag. Steht Saturn in einem Aspekt zum Vertex, kann der Wahlpartner jemand sein, der Rationalität und Beharrung in die Beziehung trägt. Sicherheiten werden gegeben, der Lebensvollzug wird in feste Bahnen gelenkt.

Lassalle schreibt zur Grundbedeutung des Vertex, dass er »die Orientierung zu anderen Menschen hin aufdeckt. Im Horoskop ist er dasjenige Element, bei dem der glückliche Ausgang einer Angelegenheit von den Launen, den Wünschen und den Plänen anderer abhängt. Der Vertex ist eher ein Element der Reaktion als der Aktion. Er darf eher als Antwort denn als Initiative betrachtet werden. Er ist Wirkung, nicht Ursache. Er zeigt die Reaktionen der anderen, wenn wir uns mit ihnen konfrontieren, die Reaktionen auf unser Handeln, auf unsere Zuwendung ihnen gegenüber und natürlich auch auf unsere Schöpfungen.« (P. Lassalle: Pratique de la nouvelle astrologie. Paris 1987, S. 206)

Diese Sicht hilft uns auch verstehen, wie wir auf Zurückweisung, auf Verlassenwerden, auf Beziehung insgesamt, eben auf das Wir reagieren. Erst im Vergleich der beiden Horoskope zeigt der Vertex seine Funktion und seinen Nutzen ganz deutlich. In den Interaspekten mit den Planeten des Partners deutet er an, wie wir den Kontakt zum Partner gestalten und was wir hauptsächlich in der Gemeinschaft mit dem Partner tun möchten. Gegenüber dem Partner äußern wir mit dem Vertexpunkt gewissermaßen die deutlichste Bitte um Hilfe: Wir wollen das verwirklichen, was wir schon immer als Plan in uns bewahrt haben.

Bevor wir zur Analyse des Vertex in der Synastrie kommen, ist es sinnvoll, eine zusammenfassende Deutung der Vertexposition im Geburtshoroskop zu geben. Die Position des Vertex verweist unter anderem auf die Art und Weise, wie wir unser Beziehungsschicksal leben müssen, um uns emotional und spirituell zu entwickeln. Und dabei müssen wir uns auch aus Bindungen und Bedingungsgefügen lösen, die noch aus früheren Leben herrühren. Der Vertex wird generell durch Transitkonjunktionen von Saturn, Chiron und Uranus aktiviert. Sodann kommen Quadrate und Oppositionen in Betracht.

Die Saturntransite deuten an, dass es unter Umständen nötig ist, etwas zu opfern, was wir bis dahin als besonders wichtig für unser Leben erachtet haben. Insofern ist ein Saturntransit meist das schwierigste Hindernis, wenn man seine »Zwillingsseele« finden – oder wiederfinden – möchte. Eine Begegnung, die unter diesem Transit stattfindet, ist anfangs schwierig, von Ängsten und Missverständnissen umgeben. Wir haben das Gefühl, einen schwer wiegenden Fehler zu begehen. Aber wir begreifen dann mit der Zeit, dass diese Gefühle auf unserer eigenen Abwehr beruhen und dass unser Gefühlsleben sich tatsächlich auf eine dauerhafte Beziehung einstellen kann, in der auch tiefe Konflikte, wie sie aus früheren Leben wieder hochkommen mögen, lösbar sind. Ein Chirontransit zum Vertex bringt etwas in unser Leben, das uns eine positive Sichtweise lehrt: Aus früheren Erfahrungen kann nun Verstehen wachsen, und so kann man vermeiden, in dieselben Irrtümer zu verfallen. Wir können alte Wunden ausheilen, die wir sehr wahrscheinlich seit vielen Existenzen mit uns tragen. Uranustransite bringen eine Woge der Veränderung und helfen uns dabei, oft auf eine intensive oder gar übertriebene Art, die Beziehungsqualitäten unseres Vertex-Punktes nach außen zu kehren. Das bringt unser Gefühlsleben in eine neue Ordnung, auch weil wir möglicherweise einem Partner begegnen, der sich aus der Perspektive unserer eigenen bisherigen Verhaltens- und Beziehungsmuster grenzüberschreitend, wenn nicht grenzverletzend, verhält. Und so sind wir in der Lage, solche Muster und Verhaltensweisen, die uns vielleicht seit einigen Leben prägen, hinter uns zu lassen und eine generelle Erneuerung in emotionaler, seelischer und beziehungsmäßiger Hinsicht in Gang zu setzen.

Aus astronomischen Gründen fällt der Vertex in Geburtshoroskopen unserer mittleren Breiten in die Häuser 5 bis 8. Angesichts des Umstandes, dass der Vertex grundsätzlich mit unserem Gefühlsleben verknüpft ist, handelt es sich bei ihm nicht nur um eine offenkundige Synchronizität. Er ist vielmehr jener Punkt X, mit dem eine gewisse Art karmisch-evolutiver Kräfte erklärt werden können, Kräfte, denen wir uns aussetzen müssen, um zu einem emotionalen Gleichgewicht zu finden.

Anders verhält es sich, wie Baldini erwähnt, bei Menschen, die in Äquatornähe geboren sind. In äquatornahen Breiten kann der Vertex in alle Häuser fallen. Höchstwahrscheinlich sind die Beziehungsschicksale von Menschen, die in äquatornahen Zonen geboren sind, von unseren Beziehungsschicksalen sehr verschieden und rühren mit ihren Problemen und Energien auch an ganz andere Lebensbereiche. Die Probleme dieser Völker, und hier könnte man die Theorie des Gruppenkarmas heranziehen, sind denn auch sehr verschieden von den unseren.

Ungeachtet solcher denkbaren Theorien hat der Vertex stets eine eigene Bedeutung auf der Ebene der Partnerschaft. Dies muss konkret erfahren werden. Schauen wir also seine Bedeutungen im Geburtshoroskop an.

Vertex im 5. Haus: Generell lebt jemand mit Vertex im 5. Haus ein sehr gefühls- und affektreiches Leben und gibt seinen Leidenschaften besonderen Raum. Es kann geschehen, dass in das Leben von jemandem mit Vertex in 5 unvermittelt ein Partner »einbricht«, der die Existenz des Horoskopeigners völlig ummodelt und ihn womöglich auch zu »extremen« Erfahrungen nötigt.

Insgesamt hält sich jemand mit Vertex in 5 niemals zurück, selbst wenn es auch nur um eine Stunde der Liebe geht. Die damit verknüpften Risiken und Gefahren gehören für ihn mit zu der angestrebten Gefühlserfahrung. Mehr Gelassenheit und Gleichgewicht und eventuell das (Wieder-)Erkennen der eigenen Zwillingsseele können sich unter der Wirkung eines Saturntransits, besonders bei einer Konjunktion, einstellen.

Vertex im 6. Haus: Mit dieser Stellung neigt man dazu, seine Gefühle nicht unbedingt auszuleben. Oft fühlt man sich irgendwie gebunden, sodass es schwer fällt, eine Beziehung richtig zu genießen. Die Wahl eines Liebespartners scheint von vornherein nicht frei zu sein. Liebe ist verbunden mit Opfern, mit Fürsorge oder Dienst. Oft wird jedenfalls eine Verantwortung übernommen, die der Bindung gewissermaßen den Zauber nimmt. Beziehungen können auch auf beruflicher Ebene entstehen, zeigen dann aber natürlich ihre schwierige Autonomie auch außerhalb des geregelten Bereichs von Arbeit und Beruf. Es sind dann Chirontransite, die zu einer Wende im Gefühlsleben führen. Ein Chirontransit kann dabei helfen, ein stärkeres Selbstwertgefühl zu entwickeln und so vor allem Beziehungen aufzubauen, in denen es möglich ist, im Alltagsleben einen Freiraum zu schaffen, um wieder zu einem Gleichgewicht zu finden und, nicht zuletzt Dank der Hilfe des Partners, das Leben in größerer Leichtigkeit zu gestalten.

Vertex im 7. Haus: Hier fällt es schwer, auf Gefühlsbeziehungen zu verzichten. Einsamkeit ist nicht zu ertragen, jedenfalls nicht über längere Zeit. Man tut alles dafür, um in Gemeinschaft zu leben, und gibt sich unter Umständen auch mit Beziehungen zufrieden, die nicht den eigenen Bedürfnissen entsprechen. Meist allerdings findet man nach langem Irren die eigene Zwillingsseele und kann schließlich viele seiner Beziehungsideale verwirklichen. Zeit und Geduld sind die eigentlichen Verbündeten. Vor allem Saturntransite können helfen, zu einer echten Ausgeglichenheit auf Gefühlsebene zu finden.

Um seine Gefühle zu verwirklichen, muss man also immer eine Reihe schwieriger Prüfungen bestehen. Ungewollte Einsamkeit ist dabei nicht ausgeschlossen. Aber man wird hinterher umso reicher entschädigt.

Vertex im 8. Haus: In vielen Fällen zeigt das Gefühlsleben hier unruhige und quälende Seiten. Man lebt außerhalb der Routine oder angenehmer geborgen-häuslicher Wärme. Gegen deren so genannte Freuden ist man denn auch allergisch. Das eigene Bindungsideal geht über so etwas hinaus. Mit dem, was normalerweise als unverzichtbar, aber auch ausreichend für eine Partnerschaft gehalten wird, kann man nichts anfangen. Man fühlt sich angezogen von den »besonderen Partnern«, solchen, die etwas Ungewöhnliches oder gar Gefährliches an sich haben – mit der Aussicht auf ein Gefühlsleben, das gewissermaßen reich an Bühneneffekten ist. Üblicherweise wird diese Bedürfnislage aktuell, wenn der Transit-Pluto eine Konjunktion mit dem Vertex bildet. Aber es kann gut sein, dass es im ganzen Leben nicht zu einer solchen Konjunktion kommt. Dann übernimmt Chiron die Funktion des Anregers und »bringt« denjenigen Partner ins Leben, der die eigene Klugheit und Neugier herauszufordern und zufrieden zu stellen in der Lage ist.

Die eigentliche Bedeutung des Vertex zeigt sich freilich hauptsächlich in der Synastrie. Hier können wir sein Potenzial in karmischer und entwicklungspsychologischer Hinsicht begreifen. Hier erweist er sich als Faktor, der uns wirklich an diejenigen Beziehungen heranführt, die in unserem Leben eine deutliche Spur hinterlassen wollen.

Generell ist die jeweilige Natur eines Interaspekts zwischen Vertex und einem sonstigen Faktor nicht so bedeutsam. Gewiss, Konjunktionen und synthetische Aspekte gestatten uns diejenigen Dinge zu erreichen, an denen uns in einer Beziehung wirklich liegt, ohne dass wir erst um sie ringen müssen. Zumindest wird es uns leicht gemacht: als komme es zu einer Art empathischer Kommunikation, mit der wir unsere gegenseitigen Bedürfnisse erkennen können, ohne sie verbal ausdrücken zu müssen. Die analytischen Aspekte können uns hingegen mit anfänglicher Zurückweisung konfrontieren, mit Schwierigkeiten oder ganz einfach mit einer vorerst gedämpften Begeisterung unseres Partners, was eine engere Beziehung angeht. Manchmal kann es geschehen, dass der Partner tatsächlich nicht geeignet ist, die eigenen Gefühle zu verwirklichen, die eigenen Gefühle zu verwirklichen. Dann gibt es unter Umständen ernstliche Spannungen, die schließlich auch zum Ende der Beziehung führen können.

Bei der Analyse der Synastrie gibt der Vertex viele grundsätzliche Hinweise auf die Bedeutung des Miteinanders. Vor allem liefert er uns den Schlüssel für das Warum einer Begegnung. Um mögliche karmische Beziehungen zu erkennen, betrachtet man vor allem die Konjunktionen und eventuell die Oppositionen zwischen Vertex und einem Planeten der jeweils anderen Person.

Schauen wir uns nun die einzelnen Deutungen an. Dabei sollten wir stets im Auge behalten, dass uns der Vertex über die Art der Hilfe orientiert, die uns der Mensch, den wir lieben, anzubieten vermag.

Vertex im Interaspekt mit

Sonne

Es ist wahrscheinlich, dass bei diesem Aspekt die Hilfe, die man vom Lebensgefährten braucht, auf unmittelbare und warmherzige Weise gegeben wird. Der Partner kann für uns die Rolle des Führers übernehmen. Was wir uns vorgenommen haben, vermag er in kurzer Zeit und durchweg mit Klarheit und Sicherheit ins Werk zu setzen. Die Stellung deutet darauf hin, dass es auch schon in früheren Leben eine harmonische und ausgeglichene Partnerschaft gab, in der der Partner ebenfalls eine nährende und schützende Rolle gespielt hat.

Mond

Hier sehen wir uns einem vorwiegend gefühlsbezogenen Hilfsangebot gegenüber. Das Angebot ist freilich nicht immer gleichbleibend stabil. Wir sollten hier vor allem mit einer Beziehungsatmosphäre rechnen, in der es zu gefühlsbetonter Teilhabe kommt, die aber nicht unbedingt praktischer, konkreter Natur sein muss. In früheren Leben kann es ein Mutter-Kind-Verhältnis oder eine vergleichbare Beziehung gegeben haben, die zum Teil auch im gegenwärtigen Leben noch andauert. Es kann sich dabei auch um sehr tiefe Bindungen handeln, deren Wurzeln mehrere Leben zurückreichen.

Merkur

Dieser Interaspekt verweist oft auf eine Art geistiger Unterstützung oder auf eine Hilfe, die über die Kinder erfolgt. Die Kinder sind sozusagen das Geschenk des Partners. Das können ebenso gut Kinder aus einer früheren Beziehung sein. Es kann auch sein, dass unser Partner all seine Energien darauf verwendet, uns unseren Weg leicht zu machen. Es ist möglich, dass es in früheren Leben eine Beziehung unter Freunden oder Geschwistern gab. Dieses Gefühl ist auch im jetzigen Leben sehr lebendig. Im Allgemeinen haben sich die Partner in früheren Leben sehr viele Annehmlichkeiten gegönnt. Eine gewisse Leichtigkeit und Anmut herrschen auch jetzt vor.

Venus

Die Unterstützung geschieht in der Einheit, in der Beziehung als solcher. Häufig zeigt sich das Wir in der Weise, dass ein jeweils individuelles Vorhaben zu einem gemeinsamen wird. Zugleich fehlt es nicht an Oasen echter Vertrautheit. So werden wir schließlich in gemeinsame Lebensumstände geführt, welche gänzlich anders sind als jene, die wir an sich zu erreichen gedachten. In früheren Leben war diese Beziehung von einem starken Gefühl getragen, von einer starken Bindung. Dies bleibt auch im gegenwärtigen Leben unbeeinträchtigt. Im Allgemeinen vollzieht sich mit diesem Interaspekt ein echtes Wiedersehen in einer Liebe, die aus der Vergangenheit herrührt – vorausgesetzt freilich, dass weitere Interaspekte zwischen den beiden Geburtshoroskopen diese Deutung stützen.

Mars

Wir erhalten vom Partner sehr viel Energie. Aber diese Energie ist auch recht impulsiv, eventuell rücksichtslos, sodass wir unter Umständen mit dem Partner Schritte machen müssen, die länger sind als unsere Beine. Freilich riskieren wir ganz gewiss niemals, uns zu langweilen oder in tausenderlei nutzlosen Zerstreuungen träge zu werden. Diese Beziehung beruhte in vergangenen Leben nicht so sehr auf Gefühlen als vielmehr auf Leidenschaft. Es ist wahrscheinlich, dass wir letztlich enttäuscht wurden. Im jetzigen Leben werden wir uns schließlich unter mancherlei Mühen vertrauen, wenn wir ähnliche Erwartungen hegen und der Partner bereit ist, uns zu lieben.

Jupiter

Die Unterstützung, die uns vom Partner zufließt, ist stets großzügig und hört nie auf, auch dann nicht, wenn die Beziehung an sich beendet ist. Mit der Zeit freilich kann sich in uns das seltsame Gefühl geltend machen, dem Partner unterworfen und von ihm abhängig zu sein. Wir werden zu Gefangenen von etwas, das wir gleichwohl ersehnt haben. Es ist wahrscheinlich, dass in vergangenen Leben eine entsprechend umgekehrte Beziehungssituation bestanden hat: Der andere hat von uns sehr viel erhalten, und so entstand eine glückliche, befriedigende Beziehung. Das diesbezügliche Gefühl bleibt in der gegenwärtigen Beziehung ungebrochen.

Saturn

Bei diesem Interaspekt stehen wir möglicherweise vor einer langen

Reihe von Zurückweisungen oder anfänglichen Verzögerungen. Der Partner zeigt Misstrauen. Wenn wir das freilich eine Zeit lang auszuhalten vermögen, gewissermaßen als eine Art Initiationsritus, wenden sich die Dinge zum Besseren. Die Unterstützung, die wir erhalten können, ist dann wirklich gediegen und währt gewissermaßen »ewig«. In vorangegangenen Leben kann es sich um eine Beziehung gehandelt haben, die arm an Empfindungen und ohne Sicherheiten gelebt werden musste. Besonders unser Partner war dabei zu Einsamkeit, zu einem Opfer genötigt. Es mag sich auch um ein erzieherisches oder vormundschaftliches Verhältnis gehandelt haben, das sehr streng war – sei es aus allgemein menschlicher, sei es aus pädagogischer Sicht.

Uranus

Die anfängliche Unterstützung ist stets total und bedingungslos, hinreißend und besitzergreifend. Solange der Partner der Ansicht ist, unsere Verbindung sei die ideale, gibt es keinerlei Missverständnisse. Sobald sich aber seine Bedürfnisse und Interessen auch nur geringfügig wandeln, kann sich die Unterstützung in kürzester Zeit merklich verringern, oft sozusagen im Lauf eines einzigen Tages. In früheren Leben wurde diese Beziehung möglicherweise sehr frei und unkonventionell gelebt. Es kann auch eine Freundschaftsbeziehung gewesen sein, in der Aufgaben, Reisen und Vorhaben jedweder Art gemeinsam bewältigt wurden. Auch jetzt sind die beiden Partner eher Komplizen. Freilich kann es auf der Gefühlsebene deutliche Grenzen geben.

Neptun

Bei diesem Interaspekt heißt es immer genau aufpassen. Ist die Unterstützung, die wir vom Partner erhalten, real, oder ist sie lediglich eine Frucht unserer Illusionen, unseres Bedürfnisses nach jemandem, auf den wir rechnen können? Bei diesem Interaspekt tun wir jedenfalls besser daran, hauptsächlich auf unsere eigenen Kräfte zu zählen und nicht so sehr auf die des anderen. Es ist gut denkbar, dass die Beziehung bereits in früheren Leben nicht unbedingt fest war oder dass es Hindernisse aufgrund unterschiedlicher Glaubenshaltungen gab. Dies kann freilich auch zu einer sehr feinen und zarten Beziehung führen.

Pluto

Dieser Interaspekt bietet uns eine Unterstützung, die niemals ohne Eigeninteresse ist. Der Partner will Einfluss auf uns nehmen. Gefährlich kann es sein, dass die Beziehung auf einem Kompromiss basiert, der auf der Anerkennung wechselseitiger Intelligenz und Reife beruht. Wird dies mit der Zeit verstanden, so kann es auch zu einer tiefen Verbindung kommen. In früheren Leben wurde die Beziehung möglicherweise geheim gehalten. Sie beruhte vor allem auf einer starken erotischen Leidenschaft oder auf mehr esoterischen Bindungen, war aber stets für Dritte kaum sichtbar, wurde versteckt, oft mit Ängsten und jedenfalls mit großer Vorsicht gelebt. Solche Gefühle können auch jetzt auftreten. Das bringt uns dazu, unsere Beziehung zeitweise auch jetzt in der Furcht zu leben, sie nach außen verteidigen zu müssen.

Mondknoten

Die Verbindung zwischen Vertex und der Mondknotenachse verweist tendenziell auf eine karmische Verbindung, die ihre Wurzeln in mehreren vergangenen Existenzen hat. Generell findet man einander, um eine gemeinsame Aufgabe zu erfüllen, die klar definiert ist. Man betrachte dazu die beteiligten Häuser. Diese Aufgabe kann ohne den Partner nicht beendet werden. Das gegenwärtige Leben wurde von beiden Partnern gewählt, um all das zum Ausgleich zu bringen, was in früheren Leben noch unabgeschlossen blieb. Vor allem aber geht es um die Verwandlung der Beziehung selbst. Sie soll weniger niederdrückend werden, soll allgemein in einem besseren emotionalen und erotischen Klima wechselseitiger Verlässlichkeit gedeihen. Die Begegnung zwischen uns selbst und der Partnerpersönlichkeit kann geschehen, wenn der nördliche Knoten im Transit über den südlichen Knoten bei uns selbst oder im Partnerhoroskop geht. Damit wird auch angezeigt, wer von den beiden Partnern auf karmischer und entwicklungsbezogener Ebene das »Zugpferd« in der Beziehung ist.

Lilith

Dieser Interaspekt gibt uns eine höchst komplexe Art der Unterstützung. Unser Partner projiziert unter Umständen Dinge auf uns, die wir dann als authentisch leben und auf denen wir die Beziehung aufbauen. Tatsächlich freilich betreffen uns diese Dinge nicht. Wenn es uns aber gelingt, zwischen diesen Projektionen und unseren tatsächlichen Bedürfnissen einen Kompromiss zu finden, können wir die Art und Weise, wie uns unser Partner unterstützt, ohne große Probleme nutzen. Wir müssen stets sehr bewusst mit der Situation umgehen. In vergangenen Leben kann es eine Bindung gegeben haben, die sehr im Verborgenen gelebt wurde, sowohl mit zerstörerischen als auch aufbauenden Anteilen. Hierzu muss man die anderen Interaspekte mit Lilith und deren Natur – harmonisch oder spannungsbetont – betrachten. Höchstwahrscheinlich gründete die damalige Beziehung in einem Geheimnis oder wurde durch einen Verrat unsererseits beendet. Im jetzigen Leben führt das zu einem ebenso starken wie zwiespältigen Gefühl in der Begegnung der beiden Partner.

Chiron

Die Unterstützung, die wir bei dieser Beziehung empfangen, ist in gefühlsbezogener, kultureller und spiritueller Hinsicht außerordentlich wichtig. Möglicherweise bleibt wenig Raum für Leidenschaft und für Emotionen. Nur schwer jedenfalls entwickelt sich die Partnerschaft in eine dieser Richtungen. Es besteht immer ein starkes Bedürfnis danach, Dinge miteinander zu tun: reden, etwas ausprobieren, neue mögliche Zugänge zur Wirklichkeit erkennen. Der Partner übernimmt dabei die Rolle des Lehrers, wir selbst die des Schülers. Und dennoch fällt das Schwergewicht dieser Rollenverteilung nicht auf, weil alles in einem Gleichgewicht gegenseitigen Respekts verbleibt. In früheren Leben haben die beiden Partner wahrscheinlich schon einmal den Versuch des gemeinsamen spirituellen Wachstums unternommen. Nun sind sie sich wiederbegegnet, um diese Absicht auf tiefere und fruchtbarere Weise zu verwirklichen. Bei diesem Interaspekt ist es ziemlich sicher, dass wir unserer wirklichen Zwillingsseele wiederbegegnen. Die Beziehung etabliert sich fast unmittelbar, sie ist weder von beschränkten Interessen bestimmt noch auf ein Ende hin angelegt. Sie entwickelt sich einfach, sie ist frei von Anhaftungen, sie setzt auf die Freude und das Glück des jeweiligen Partners.

Der Vertex ist eine wahre Fundgrube an Informationen. Man hat erst seit kurzem begriffen, wie man den Vertex nutzt. Ich lade den Leser ein, den Vertex ausführlich in der Horoskopdeutung zu berücksichtigen, insbesondere bei der karmischen Partnerschaftsanalyse. Denn der Vertex kann Ebenen der Beziehung enthüllen, die ansonsten schwer zu erkennen sind.

Tabelle 4:
Wie man den Vertex berechnet

Um die ekliptikale Länge des Vertex zu bestimmen, geht man folgendermaßen vor:

1. Feststellung der zugehörigen komplementären Breite: Man zieht von 90 Grad die Breite des Geburtsortes ab.
2. In der Häusertabelle schlagen wir nun für den ursprünglichen Wert des Imum Coeli die Spalte Medium Coeli auf und suchen hierfür die komplementäre Breite des Aszendenten.
3. Dieser ist der gesuchte Vertex.

(Ergänzung des Übersetzers: Wer die Interpolation anhand der Häusertabelle scheut, aber nicht über ein Astro-Programm mit Vertex-Berechnung verfügt, kann sein gewöhnliches Astro-Programm auf folgende Weise zu einer exakten Vertex-Berechnung animieren: Zum Ausgangsdatum des jeweils in Rede stehenden Horoskops werden genau 11 Stunden und 58 Minuten hinzuaddiert. Für einen fiktiven Ort mit der Länge des Geburtsorts und der komplementären Breite wird dann der Aszendent berechnet. Dieser Aszendent ist der Vertex des Ausgangshoroskops.
Warum 11 Stunden und 58 Minuten? Der Vertex wird für das ursprüngliche Imum Coeli berechnet, dessen Sternzeit genau 12 Stunden später (oder früher) liegt als die Sternzeit des Medium Coeli. Da der Sterntag jedoch knapp vier Minuten kürzer ist als der bürgerliche Tag, nach dem die Zeitangabe eines Geburtshoroskops gegeben wird, muss bei einer Addition von 12 Stunden die Hälfte dieser Vier-Minuten-Differenz abgezogen werden.)

Die Mondknoten in der karmisch orientierten Partnerschaftsastrologie

In der karmischen Analyse der Partnerschaft mithilfe einer Synastrie sind die Mondknotenachse und ihre Position in den Häusern des Partnerhoroskops ebenfalls ausgesprochen wichtig. Aus diesem Teil der Synastrie, insbesondere aufgrund der Natur der hier betroffenen Horoskophäuser, erhalten wir wertvolle Hinweise. Wir erkennen so, ob die Bindung ihre Wurzeln in vergangenen Leben hat, und außerdem, welche Ziele in der gegenwärtigen Beziehung erreicht werden sollen. Natürlich kann jeder der beiden Partner unterschiedliche Dinge und Perspektiven wahrnehmen. Das liegt an den jeweils mit einbezogenen Planetenaspekten.

Generell geben uns Zeichen und Haus, in die der nördliche Mondknoten in unserem Geburtshoroskop fallen, deutliche Hinweise auf die Partner, denen wir wahrscheinlich begegnen werden. Ist der nördliche Knoten zum Beispiel im 2. Haus, suchen wir wahrscheinlich nach jemandem, der in seinem eigenen Radix eine starke Betonung des 2. Hauses oder des Zeichens Stier hat. Denn ihm fällt die Aufgabe zu, uns mit den Problemen zu konfrontieren, die sich an Besitz und Sicherheitsstreben knüpfen. Dies ist dann für unsere Entwicklung unverzichtbar.

In der Synastrie muss auch die Natur der Interaspekte in Betracht gezogen werden, die die Knotenachse mit den Planeten aus dem Partnerhoroskop bildet. Die Interaspekte zeigen die Art der »Schulden«, die man in früheren Leben beim Partner gemacht hat. Sie zeigen auch die Erfahrungen an, die man nun sinnvollerweise machen sollte, um auf seelischer und spiritueller Ebene zu wachsen und sich zu entfalten.

Es sind hauptsächlich die Konjunktionen unserer persönlichen Planeten mit dem südlichen Mondknoten des Partners, welche wenigstens ein früheres gemeinsames Leben anzeigen. Hier haben wir dem Partner gegenüber karmische Schuld angesammelt.

Die Natur eines solchen Planeten verweist auf die Art der karmischen Schuld. Das Haus des Partners, in das der betreffende Planet fällt, zeigt den Lebensbereich an, in dem die Schuld aufgelöst und verwandelt werden soll. Die Konjunktionen mit dem nördlichen

Knoten verweisen auf karmische Erfahrungen und Entwicklungen, die im jetzigen Leben gemacht werden sollen. Das Karma ist hier zukunftsorientiert: Eine solche Beziehung geschieht ungeachtet ihrer karmischen Bezüge sehr wahrscheinlich jetzt zum ersten Mal und soll sich in künftigen Existenzen fortsetzen. Natürlich sollte eine solche Deutung auch durch andere Elemente in den jeweiligen Geburtshoroskopen bestätigt werden.

Schwierige karmische Bindungen, die mit leidvollen Erfahrungen in einem oder mehreren früheren Leben zusammenhängen, finden wir in Quadrat- und Quincunx-Aspekten zwischen Mondknoten und den Planeten des Partnerhoroskops. Mit diesen Aspekten werden Spannungen angezeigt, die oft tiefe Spuren hinterlassen haben. Solche Spannungen manifestieren sich im gegenwärtigen Leben zunächst durch eine starke Anziehungskraft und Vertrautheit. Diese Anziehung führt dann freilich zu einer merkwürdigen Furcht und in manchen Fällen zu echten Problemen.

Tendenziell hat ein Quadrat mit intensiven Erfahrungen von Enttäuschung oder Gewalt in früheren Leben zu tun. Man war unfähig, angemessen zu reagieren. Das Quincunx zeigt eher Liebes- und Freundschaftsverbindungen an, die aufgrund gesellschaftlicher, religiöser, ökonomischer und auch emotionaler Motive gespannt waren. Das Leid, das mit der Beziehung verknüpft war, hing so gut wie nie mit dem Partner zusammen, sondern mit Personen, die im nahen Umfeld des Paares lebten. Im gegenwärtigen Leben zeigen die Partner denn auch ein merkwürdiges Verhalten im Hinblick auf die Außenwelt. Die anderen sollen möglichst von der Beziehung nichts mitbekommen. Oder einer der beiden Partner ist bereits anderweitig gebunden, wenn es zu der karmischen Beziehung kommt, sodass die Vertraulichkeit der Partnerschaft unabdingbar für das Zusammensein ist. Von diesem Karma können sich die beiden nur befreien, wenn sie ihre Liebe im hellsten Tageslicht leben und offen gegenüber denjenigen sind, die in ihrem Umfeld leben.

Wir wollen nun im Einzelnen die Bedeutungen der Knotenachse in den Häusern des Partnerhoroskops betrachten. Diese Konstellationen sind, wie wir bereits gesehen haben, für den karma-astrologischen Partnervergleich sehr wichtig. Die Deutung wird aus der

Perspektive der Person gegeben, in dessen Horoskop die Knoten stehen.

Südlicher Mondknoten im 1. Haus des Partners – nördlicher Knoten im 7. Haus

In einem früheren Leben ist diese Bindung nicht gerade frei gewesen. Die Beziehung wurde gewissermaßen unter einer Reihe von Auflagen gelebt, die eine eigene unabhängige Persönlichkeitsentwicklung verhindert haben. Die Beziehung wurde beengend, womöglich gewaltsam erlebt. Das gilt vor allem dann, wenn die Aspekte zwischen Knoten und Planeten gespannt sind. In der gegenwärtigen Existenz können sich die Partner auf eine sehr frei gestaltbare Bindung zuentwickeln. In der Gemeinschaft lassen sich die Fähigkeiten und Möglichkeiten entdecken, mit denen die früheren Mängel ausgeglichen werden können.

Südlicher Mondknoten im 2. Haus des Partners – nördlicher Knoten im 8. Haus

Die früheren Begegnungen hatten stets auch einen sehr praktischen Belang. Meist hat sich der Partner mit uns aus geschäftlichen oder besitz- und sicherheitsorientierten Motiven verbunden: großer Altersunterschied, von den Eltern arrangierte Ehe, Eheschließung, um aus einer schwierigen psychischen oder materiellen Situation herauszukommen. Im gegenwärtigen Leben kann sich anfangs eine starke Leidenschaft mit gewissermaßen skorpionischen Anklängen entwickeln. Doch kann dies in Streitigkeiten bis hin zu verletzendem Bruch münden. Es kommt stark darauf an, innerhalb der Beziehung Geschmeidigkeit und Wandlungsbereitschaft zu entwickeln und die im Partner verborgene Qualitäten wachzurufen. Solche Fähigkeiten können auch durch alte Ängste davor, ausgebeutet zu werden, blockiert sein.

Südlicher Mondknoten im 3. Haus des Partners – nördlicher Knoten im 9. Haus

Die Beziehung in früheren Leben hatte entscheidend mit Kommunikationsproblemen zu tun. Der Mondknoten-Partner ist möglicherweise eher oberflächlich gewesen oder litt an einschlägigen

Behinderungen (Sprachstörung, Gehörlosigkeit usw.). Steht der südliche Knoten jedoch in entspannten Interaspekten, kann auf geistiger Ebene tiefes Einverständnis geherrscht haben. Daraus mag sich eine berufliche oder kulturelle Zusammenarbeit ergeben haben. Die Partner haben möglicherweise in einem geistig sehr reichen, sehr verfeinerten Ambiente gelebt. Auch im gegenwärtigen Leben ist eine gewisse »Leichtigkeit des Seins« spürbar. Die Beziehung beruht auf einer gemeinschaftlichen Einfühlsamkeit gegenüber dem Leben und eventuell auf einer starken Leidenschaft füreinander. Diese Stellung der Knotenachse kann zu einem gemeinsamen spirituellen Weg führen.

Südlicher Mondknoten im 4. Haus des Partners – nördlicher Knoten im 10. Haus

In vergangenen Leben kann die Partnerschaft auch anderer Natur gewesen sein, etwa eine Mutter-Kind-Beziehung oder eine Inzest-Beziehung. Steht der südliche Mondknoten in Spannungsaspekten mit Planeten aus dem Partnerhoroskop, dürften Einsamkeit und entsprechendes Leid eine große Rolle gespielt haben. Meist freilich sind mit dieser Hausstellung sehr angenehme, gelassene Beziehungen angezeigt, die sich in einem geschützten Umfeld entwickelt haben. Starke Leidenschaften mochten fehlen, keineswegs aber Liebe und Zärtlichkeit.

Im gegenwärtigen Leben erlebt man den Partner wahrscheinlich als jemanden, der einen verlässlich beim eigenen sozialen Aufstieg unterstützt. Das heißt aber nicht, dass die Beziehung ohne gegenseitige Gefühle und Bindung gelebt wird. Der Partner ist unverzichtbar für das eigene Dasein, man würde sich ohne ihn heimatlos fühlen.

Südlicher Mondknoten im 5. Haus des Partners – nördlicher Knoten im 11. Haus

Fast immer war es eine große Liebe, die man miteinander in einer oder mehreren früheren Existenzen erlebt hat. Man erlebte die große Leidenschaft, eventuell gab es auch gewisse Ausschweifungen, besonders, wenn jetzt disharmonische Aspekte vorliegen. Diese können auch auf ein unverhofftes oder vorzeitiges Ende dieser großen Liebe verweisen. Auch jetzt kann die Begegnung aufwühlend sein. Man spürt ganz unmittelbar, dass man eng zusammengehört, dass man stark aufeinander wirkt. Das macht überhaupt ein Gutteil der Beziehung aus. Mit der Zeit kann sich eine tiefe Freundschaft entwickeln, in der ebenso tiefe Einheit möglich wird. Damit werden auch spirituelle Partnererfahrungen von hoher Dichte möglich.

Südlicher Mondknoten im 6. Haus des Partners – nördlicher Knoten im 12. Haus

Diese Stellung verweist für gewöhnlich auf Bindungen, deren Ursprung in einem alltäglichen, routinierten Miteinander liegt, in einer gemeinsamen Tätigkeit, in der Hingabe an ein gemeinsames Projekt. Jetzt freilich erfordert die Beziehung beständige Aufmerksamkeit und Fürsorge im Blick auf die Gefühlsbegegnung der beiden Partner. Auf emotionaler Ebene wirkt gewissermaßen eine starke Verpflichtung. Möglicherweise müssen gemeinsam Prüfungen durchlaufen und bestanden werden. Wenn die beiden Partner die damit verbundene Entwicklung und Erprobung bewusst begreifen und verinnerlichen, kann damit die Bindung gleichsam definitiv, nämlich für das ganze Leben gefestigt werden.

Südlicher Mondknoten im 7. Haus des Partners – nördlicher Knoten im 1. Haus

Hier liegt eine Beziehung vor, die wahrscheinlich schon in einem früheren Leben durch eine lange Gemeinsamkeit gekennzeichnet war. Verlässlichkeit und gemeinsame Interessen brachten zugleich emotionale Sicherheit. Wenn die Interaspekte zwischen den Knoten und einzelnen Planeten ausgesprochen spannungsbetont sind, liegt wahrscheinlich eine Beziehung vor, die brüsk beendet wurde, in der die Sicherheit des Zusammenseins von einem auf den anderen Tag endete. Das kann auch die gegenwärtige Beziehung beeinflussen. Furcht vor dem Verlassenwerden oder ein generelles Misstrauen in Bezug auf den Partner kann eine Rolle spielen. Die gesunde Entwicklung kann auf eine jeweilig höhere Selbstwertschätzung der beiden Partner hinauslaufen mit dem Bemühen, eine Partnerschaft auf Basis von Ebenbürtigkeit zu leben.

Südlicher Mondknoten im 8. Haus des Partners – nördlicher Knoten im 2. Haus

In den vergangenen Leben stand diese Bindung gleichsam unter erotischer Hochspannung. Aber auch destruktive Elemente spielten eine Rolle. Diese haben eventuell – das kann für gespannte Interaspekte gelten – sogar zum Tod durch Gewalt oder durch Geschlechtskrankheiten geführt. Physisch oder mental gab es jedenfalls eine starke Anziehung, die mit hoher Wahrscheinlichkeit das ganze Leben andauerte. Auch in der gegenwärtigen Existenz kann diese große Anziehung weiter bestehen. Im gegenwärtigen Leben kann sich der erste Kontakt blitzartig und mit unwiderstehlicher Gewalt einstellen. Denn man spürt sofort die tiefe, von Herz zu Herz gehende Anziehung. Auch wenn der Partner nicht unseren Schönheitsvorstellungen entspricht, auch wenn unser Beziehungsideal nicht erfüllt wird, können wir nicht umhin, diese Partnerschaft zu beginnen. Die Beziehung kann sich später durchaus zu einer festen Struktur entwickeln, hat aber stets auch etwas Bedrängendes an sich, das die persönliche Freiheit begrenzt.

Südlicher Mondknoten im 9. Haus des Partners – nördlicher Knoten im 3. Haus

In einem vergangenen Leben war die Beziehung spirituell bestimmt oder knüpfte sich an gemeinsame Erfahrungen und Interessen. Die Liebe spielte wohl eine geringere Rolle. Wenn gespannte Interaspekte vorliegen, wurde die Beziehung möglicherweise aus großer räumlicher Distanz heraus geführt oder die Partner waren füreinander Ausländer, gehörten unterschiedlichen Kulturen an, hatten im Blick auf bestimmte Themen Schwierigkeiten, einander zu verstehen. Im gegenwärtigen Leben lebt die Beziehung möglicherweise von einer eher geschwisterlichen Haltung der Partner zueinander. Zusammenarbeit kann eine Rolle spielen. Eine Liebesleidenschaft entwickelt sich freilich kaum, sofern nicht sonstige Elemente der Geburtshoroskope etwas anderes nahe legen.

Südlicher Mondknoten im 10. Haus des Partners – nördlicher Knoten im 4. Haus

Wahrscheinlich wurde diese Beziehung im vergangenen Leben in emotionaler Kälte oder mit allerlei Hindernissen gelebt. Sie war mehr von der Familie oder direkt von materiellen Interessen bestimmt. Freilich fehlte es nicht an gegenseitigem Beistand. Die Anstrengungen richteten sich darauf, als ein echtes Paar aufzutreten. Im gegenwärtigen Leben hat der Mondknoten-Partner allerdings das Bedürfnis zu einem echten Familienleben. In dieser Hinsicht werden viele Anstrengungen unternommen. Manchmal wird das zum Hauptziel, wenn nicht zum einzigen Ziel der Beziehung, die in dieser Hinsicht ihre existenzielle Verwirklichung erlebt.

Südlicher Mondknoten im 11. Haus des Partners – nördlicher Knoten im 5. Haus

Von der Freundschaft zur Liebe: In einem vergangenen Leben hat das Paar eine tiefe Freundschaft miteinander gelebt. Gemeinsame Werte und Ideale bildeten die Basis. Liebe gehörte mit dazu, konnte aber möglicherweise aus verschiedenen Gründe nicht als Liebe bezeichnet werden, weil die Partner zur selben Familie oder zum selben Geschlecht gehörten, oder aber weil die gesellschaftliche Gruppen- bzw. Schichtzugehörigkeit sehr unterschiedlich war. Im gegenwärtigen Leben kann im Lauf der Zeit Liebe wachsen. Denn indem die beiden Partner erneut das starke Band der Freundschaft knüpfen, können sie nun auch leidenschaftliche und erotische Gefühle zulassen.

Bei disharmonischen Interaspekten zur Knotenachse kann die karmische Erfahrung einer verratenen Freundschaft mit im Spiel sein. Dieser Verrat soll nun gewissermaßen mit einer ernsthaften und bedingungslosen Liebe gesühnt werden.

Südlicher Mondknoten im 12. Haus des Partners – nördlicher Knoten im 6. Haus

Die Beziehung wurde in einem vergangenen Leben nicht unbedingt als klar und offen erlebt. Einsamkeit und Leid haben eventuell eine Rolle gespielt. Vielleicht wurde die Liebe nicht erwidert, oder der Partner musste mit anderen geteilt werden. Eine heimliche Beziehung ist ebenso denkbar. Im jetzigen Leben kann die Beziehung auf berufsbezogener Ebene oder über Bekannte ihren Anfang nehmen. Sie ist von vornherein auf friedvolles Miteinander gebaut. Man teilt Vorhaben miteinander, und es ist nötig, sehr bald eine Basis zu finden, die Sicherheit verleiht und das Gefühl von Häuslichkeit und Familienbezug gibt. Es handelt sich um eine Beziehung, die ihr schöpferisches Potenzial im täglichen Lebensvollzug entfalten muss.

Saturn in karmischen Beziehungen

Saturn hat beim karmisch orientierten Horoskopvergleich eine große Bedeutung. Dasjenige Haus im Partnerhoroskop, in das er fällt, kennzeichnet die Art von Ängsten, die beim Kontakt mit dem Saturnpartner eine Rolle spielen können. Natürlich gibt es in jeder Partnerschaft Ängste, Spannungen und Unsicherheiten. Häufig ist es schlechterdings unmöglich, diese Ängste auf bestimmte Besonderheiten zurückzuführen. Am Ende stellen wir selbst fest, wie unmotiviert solche Ängste sind. Und doch lassen wir es zu, dass sie unter Umständen eine Beziehung zerstören. Das liegt sehr oft daran, dass wir mit derselben Seele in einem früheren Leben bereits eine Beziehung geführt haben, in der wir schlecht behandelt wurden oder die in irgendeiner Weise heikel war. Jetzt erkennen wir den Partner von damals wieder und damit blühen auch jene Ängste und Vorbehalte erneut auf. Sie sind nach wie vor lebendig, ebenso dieses ungewisse und unsichere Miteinander, auch wenn jetzt die Situation und das Verhalten des Partners anders ist. Saturn erklärt uns insgesamt mit seinen Interaspekten zu den Planeten des Partners, wie sich diese Dinge im Einzelnen verhalten. Stephen Arroyo schreibt hierzu:

»Saturns Zwischenaspekte zu persönlichen Planeten oder zum Aszendenten manifestieren sich bei der ersten Begegnung oft als ein Gefühl der Vorsicht gegenüber dem anderen. Gewöhnlich ist es der Mensch, dessen persönlicher Planet oder Aszendent am Aspekt beteiligt ist, der vorsichtig oder sogar ängstlich ist, eine Beziehung zu dem saturnischen Menschen einzugehen, als ob er oder sie unterbewusst spürt, dass mit diesem Menschen ein intensives Karma auszuarbeiten ist. Im Anfangsstadium der Begegnung ist daher ein

Ausweichen oder sogar ein Versuch, ganz davonzulaufen, durchaus üblich.« (Deutsche Übersetzung zitiert nach: Stephen Arroyo: Astrologie, Karma und Transformation. Die Chancen der schwierigen Aspekte. München 1980, Hugendubel, S. 214 f.)

Freilich ist im Allgemeinen der Fluchtversuch nahezu unmöglich. Denn zugleich spürt man eine starke Anziehung, ein tiefes Bedürfnis, die Beziehung da wieder aufzunehmen, wo sie zuvor unterbrochen wurde, auch wenn die Bindung in der Vergangenheit keineswegs immer befriedigend war. Vorsicht und Misstrauen treten langsam hinter anderen Gefühlen zurück. Man will sich erneut zur Geltung bringen und man sehnt sich danach, die Beziehung nun in größerer Ausgeglichenheit und Zufriedenheit zu leben.

Um die Art der Beziehung in der Vergangenheit zwischen den Partnern besser zu verstehen, ist es nötig, die Interaspekte von Saturn zu den Schnellläufern und dem Aszendenten des Partners zu erörtern. Auch die Natur des Aspekts spielt für die Deutung eine wichtige Rolle.

Im Folgenden gebe ich kurze Stichworte und Hinweise zur Deutung. Natürlich kann nur aus einem vollständigen Vergleich der beiden Partnerhoroskope ein genaues und vertieftes Bild der Beziehung gewonnen werden.

Saturn im Interaspekt mit der Sonne des Partners

Bei dieser Aspektkombination geschieht es oft, dass der Saturn-Partner in diesem Leben der dominante Partner ist. Er verdunkelt jedenfalls zum Teil die Persönlichkeit des anderen. Denn in einem vergangenen Leben musste er eine starke Einschränkung seiner Identität hinnehmen. Das gilt vor allem für Quadrat- und Quincunx-Aspekte zum Saturn. Im gegenwärtigen Leben ist Gelegenheit gegeben, ein helles Licht auf die Ängste und Unsicherheiten zu werfen, die beide Partner aus der Vergangenheit mitgebracht oder im jetzigen Leben erworben haben. So können die Partner bewusst miteinander wachsen und eine gewisse grundsätzliche emotionale Stabilität erreichen, möglicherweise auch erst nach schweren Prüfungen.

Saturn im Interaspekt mit dem Mond des Partners
Hier haben wir eine Beziehung vor uns, in der es in der Vergangenheit großes emotionales Leid gab. Wenn der Mond auch durch andere Planeten des Partners verletzt ist, war Unfreiheit im Spiel oder physische Gewalt. Hier kann es auch schwer wiegende Konsequenzen gegeben haben – etwa die Unfähigkeit, Kinder zu bekommen oder der Verlust der seelischen Stabilität. Im jetzigen Leben beginnt die Verbindung wahrscheinlich mit wiederholten Missverständnissen und Zurückweisungen, die die Beziehung mehrfach an den Rand des Scheiterns bringen, auch wenn die Beziehung fast immer vor diesem letzten Schritt bewahrt bleibt.
Für beide Partner ist es bei dieser Konstellation sinnvoll, Unsicherheitsgefühle zu äußern und eigenen Zorn auf authentische Weise zum Ausdruck zu bringen. Jede Maskierung sollte vermieden werden.

Saturn im Interaspekt mit dem Merkur des Partners
In vergangenen Leben haben sich die beiden Partner nur wenig verstanden. Ihre Charaktereigenschaften waren völlig gegensätzlich. Sie haben sich möglicherweise vergebens bemüht, einen Dialog zustande zu bringen. Bei disharmonischen Interaspekten hat vor allem der Merkur-Partner bestimmte Episoden in der Beziehung als zutiefst intolerant erlebt. Im jetzigen Leben setzen die Partner ihre Kommunikationsschwierigkeiten fort, auch wenn Zeiten und Erlebnisrhythmen anders sind. Wenn der Interaspekt durch ein Trigon oder ein Sextil gestützt wird, können die beiden Partner Orte einer echten Begegnung finden und eine dauerhafte Zusammenarbeit installieren, die auf gegenseitiger Unterstützung und wechselseitiger geistiger Bereicherung beruht. Konjunktionen deuten die ideologische Vorherrschaft des Saturn-Partners über den Merkur-Partner an, gewissermaßen eine Einbahnstraßen-Beziehung, die dann enden muss, wenn die Saturn-Qualität halsstarrig und dogmatisch wird.

Saturn im Interaspekt mit der Venus des Partners
Fast immer handelt es sich um sehr alte karmische Beziehungen, die durch mehrere Existenzen hindurch gelebt wurden. Sie waren

je nach Natur des Interaspekts von Sicherheit und Glück oder aber von Leid, Mangel und Einsamkeit geprägt. Es gibt jedenfalls generell ein Gefühl des gegenseitigen Vertrauens, auch wenn im gegenwärtigen Leben die Bindung nicht immer Sicherheiten bietet. Die beiden Partner fühlen sich stets sehr zueinander hingezogen. Manche Beziehung, vor allem, wenn der Interaspekt Saturn – Venus eine Konjunktion ist, hält ein ganzes Leben. In vergangenen Leben mag sich der Venus-Partner weniger geliebt vorgekommen sein. Und auch jetzt hat er das Gefühl, er bekomme im Vergleich zu dem, was er in die Beziehung einbringt, weniger zurück. Auf verschiedene Weisen versucht er, den anderen »gefühlsbetonter« zu machen, ihm die Lockungen der Lust und des Eros näher zu bringen und seine Abwehrhaltung aufzulockern.

Saturn im Interaspekt mit dem Aszendenten des Partners
Es ist wahrscheinlich, dass sich die beiden Partner in einem vorangegangenen Leben nicht sehr klar zueinander verhalten haben. Sie waren nicht gänzlich offen zueinander und schützten manche Seiten ihres Lebens vor dem Blick des anderen. Das hat sie einander unvermeidlich entfremdet. Als hätte es nie eine Vereinigung, ein Wir gegeben, war jeder von ihnen gut im eigenen Ich verankert. Jetzt nährt jeder von ihnen, zumindest bei der anfänglichen Begegnung, einen gewissen Vorbehalt. Man fühlt sich sehr zueinander hingezogen und hat zugleich Mühe, die eigene Autonomie, die eigene Freiheit zu wahren. Generell kann eine gemeinsame Schicksalsprüfung oder die ganz reale Angst, einander zu verlieren, beiden helfen, sich wirklich zu begegnen und die Beziehung fortan mit weniger innerer Reserviertheit zu leben.

Die Geschichte

Martina ist eine sympathische, auffallende junge Frau, die es mag, wenn man von ihr spricht. Fast überall gelingt es ihr, die Aufmerksamkeit auf sich zu ziehen, vor allem die von Männern. Sie hat ein starkes Bedürfnis, bewundert, geliebt zu werden und der Lebensmittelpunkt desjenigen zu sein, der sich in sie verliebt. Seit vielen

Jahren hat sie eine stabile Partnerschaft mit Alessio, einem jungen Mann, der sie heiraten möchte, sobald er Martina seiner dauerhaften und ernsten Gefühle versichern kann. Zwischen den beiden herrscht in vielerlei Hinsicht tiefes Einverständnis, nicht zuletzt auf geistiger und lebenspraktischer Ebene.

Gemeinsam planen sie ein Haus im Blick auf die bevorstehende Ehe. Sie gedenken eine Familie zu gründen und können so einen Traum Wirklichkeit werden lassen, auf den hin sie von Kindesbeinen an erzogen worden sind.

Aber Martina ist, obwohl sie ein starkes Gefühl für Alessio hegt und in ihm durchaus den idealen Ehemann sieht, dennoch nicht imstande, ihm seelisch und oft genug auch sexuell treu zu sein. Tatsächlich neigt Martina dazu, zu Alessio noch eine Alternative zu suchen – einen Partner, mit dem sie wilde Leidenschaft erleben kann, der es ihr möglich macht, auf der Ebene der Gefühle ein absolut befriedigendes Leben zu führen. Eine derartige »Zweitbeziehung« gerät jedoch jedes Mal dann in die Krise, wenn der jeweilige Partner Martina auffordert, die Beziehung zu ihrem »offiziellen« Partner Alessio zu beenden und mit ihm eine echte Partnerschaft aufzubauen. Angesichts einer solchen Forderung ergreift Martina die Flucht oder bricht brüsk die Beziehung ab, um für eine gewisse Zeit ganz zu einer monogamen Bindung an Alessio zurückzukehren. Wenn die Illusion der Liebesleidenschaft verfliegt, die Illusion des Mannes, den man ohnehin nicht erobern kann oder der jedenfalls nicht zu einer wirklichen Beziehung bereit ist, flieht sie. Dann entrinnt sie der Beziehungsfalle. Denn sie hat ja bereits eine einigermaßen stabile Beziehung. Sie verspürt nicht das Bedürfnis, noch eine neue Beziehung aufzubauen. Sie hat vor allem nicht mehr das Bedürfnis, einen Mann zu erobern. Es gibt niemanden mehr, der verführt werden müsste. Sie steht nicht mehr jemandem gegenüber, der sie zurückweist und der irgendwie dazu gebracht werden müsste, sie, Martina, zu akzeptieren.

Martinas Beziehungsdynamik ist verknüpft mit dem Bedürfnis des Eroberns, nicht aber mit dem der Bindung. Ihre Beziehungsdynamik gilt der fortwährenden Begegnung mit und der Trennung vom anderen Geschlecht. Das ist ein ebenso seltsames wie perverses Spiel, bei dem sie einen Mann zunächst verführt, um ihn dann, kaum dass er erobert worden ist und demzufolge weich und schwach ist, zu verlassen, weil er nicht mehr interessant ist. Mit Männern möchte Martina lediglich den Anfang einer Partnerschaft erleben, nämlich das sich Verlieben. Sie kommt nicht über die Phase des Du hinaus, denn die Verantwortung, die beim Wir nötig ist, hebt ihre Projektionen und Fantasien auf, die es ihr möglich machen, die Beziehung zu Alessio aufrechtzuerhalten und zu vertiefen. Alessio ist der Einzige, mit dem sie das Wir zu gestalten vermag: die Sicherheit, als Paar zu leben, eine auf Zukunft bezogene Gewissheit. Aber zugleich fehlt das Du, die Entdeckung dessen, was vom Ich ganz verschieden ist, die Beklemmung, die das Neue verursacht, die Erschließung des noch Unbekannten.

Martinas Eltern sind sehr wichtig für das bessere Verständnis von Martinas Beziehungs- und Gefühlsdynamik. Ihre Mutter, eine schöne Frau, ist Unternehmerin von Beruf. Martinas Vater hat seine Frau von jeher betrogen. Die Mutter hat sich jedoch nie zu einer echten Wende, einem klaren Schnitt entschließen können. Martina steht der Mutter sehr nahe. Die beiden arbeiten miteinander. Und auch privat teilt Martina viele Geheimnisse mit der Mutter. In gewisser Hinsicht trägt die Beziehung der beiden symbiotische Züge. Was die Abwehr des Gatten beziehungsweise des Vaters betrifft, sind die beiden ebenfalls enge Komplizen. Martina spricht von ihrem Vater durchaus als einem sympathischen Menschen, wenigstens nach außen hin. Aber in ihren Augen ist er verantwortungslos, ein Lügner, unfähig, seine eigenen Versprechen zu halten, und außerdem zeitweise gewalttätig. Die Identifikation mit der Vaterfigur dient teilweise der Entlastung der Mutter. Vor allem aber kann sich Martina vor Männern schützen, die so sind wie der Vater. Auf unbewusster Ebene führt Martina einen wahren Krieg gegen das männliche Universum. Sie bietet alles auf, um Schwäche und Unsicherheit außen vor zu halten, die andererseits aber durch ihre Rolle und ihren sozialen Status zu ihr gehören. Sie will sich völlig frei von der Rolle der Frau machen, die sie durch ihre Identifikation mit der Mutter ererbt hat. Das ist aber vor allem auch eine Möglichkeit, den Vater zu bestrafen und ihm ihre Überlegenheit zu zeigen. Er hat es mit einer Tochter zu tun, die ihm sehr ähnlich ist, die ihm aber zugleich sehr gefährlich sein kann, weil sie eine Frau ist. Hier sitzt der eigentliche Problemknoten in Martinas Leben: Sie gestaltet sichtlich überzeugend ein männliches Lebensmodell in einem weiblichen Körper.

Es genügt, sich klarzumachen, dass die emotionale Identifikation mit dem Vater so weit geht, dass beide sich weigern, eine Trennung vom »offiziellen Partner« auch nur in Betracht zu ziehen. Martina hat niemals ernsthaft daran gedacht, die Beziehung zu Alessio abzubrechen. Wurde ihr das vorgeschlagen, so hat sie es immer abgelehnt, ungeachtet der mehr gefühlsbetonten und der ganz konkreten Versprechungen und Garantien, die ihr vom jeweiligen anderen Partner gegeben wurden. Nicht nur das, sie hat die neue Beziehung beendet. Ihr Vater hat gleichermaßen auf jüngste Trennungsversuche der Mutter reagiert: Er hat sich geweigert, eine solche Möglichkeit überhaupt nur anzudenken, er reagierte aggressiv und drohte schwere Konsequenzen für einen solchen Fall an.

Martina hat inzwischen begriffen, wie zerstörerisch sich ihr Beziehungsmodell auswirkt, sowohl für sie selbst wie für andere. Die Arbeit, die sie an sich selbst begonnen hat, bezieht sich darauf, dass sie wieder zu einer Selbstwertschätzung als Frau findet, dass sie zugleich lernt, die Männerwelt besser zu begreifen, die sie sowohl so sehr liebt als auch so sehr hasst. Wahrscheinlich besteht für sie auf karmischer Ebene die größte Herausforderung darin, jene alten Verhaltensweisen der Vermengung und der Oberflächlichkeit zu überwinden, welche für die letzten Existenzen kennzeichnend waren. Jetzt müssen sie genau angeschaut, verstanden – und überwunden werden.

Aus dem Geburtshoroskop geht klar hervor, dass das Karma des Nicht-Erkennen-Wollens (Oppositionen und Quadrate in den veränderlichen Zeichen) vor allem durch die Opposition der Mond-Jupiter-Konjunktion mit Saturn auf der Häuserachse I/VII das Hauptproblem ist, mit dem Martina sich auf der Ebene der Partnerschaft auseinander zu setzen hat. Für sie ist wichtig, jene Fehler zu verstehen, die in vergangenen Leben diejenigen schmerzlich verletzt haben, mit denen Martina Seite an Seite lebte. Auch jetzt verfällt Martina öfters, und sei es ungewollt, in dieselben Fehler. Ihr starkes Bedürfnis nach Partnerbeziehung wird häufig ent-

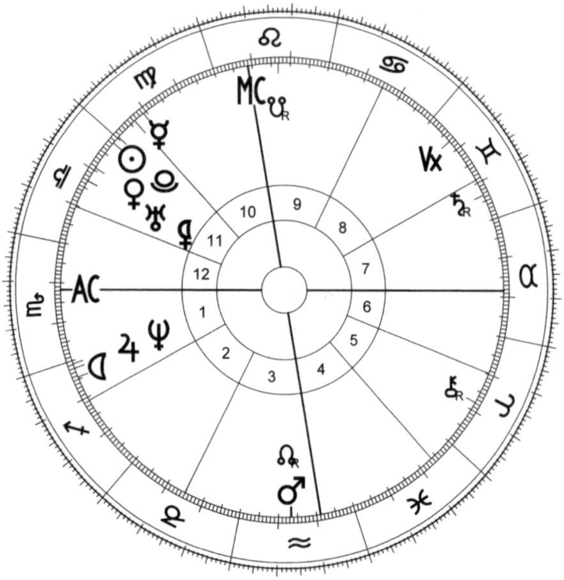

Abb. 1: Martina (Ehepunkt 14° Zwillinge)

täuscht, wird allenfalls unbefriedigt gelebt: Mond in Opposition zu Saturn, ein Aspekt, der es Martina unter anderem schwer macht, ein ausgeglichenes Bild von der eigenen Weiblichkeit zu entwickeln. Sie neigt dazu, in Beziehungen zu leben, in denen sie die emotionale Entwicklung der Bindung selbst blockiert (Jupiter Opposition Saturn auf der Häuserachse I/VII). Der Ehepunkt im 8. Haus im Zeichen Zwillinge führt sie zu einer fortwährenden Suche (Zwillinge) nach tiefen, womöglich erotischen Beziehungen (8. Haus). Freilich darf es keine Fesseln geben, darf Martinas Freiheit nicht beeinträchtigt werden. Die Trigone des Ehepunkts mit Mars, Uranus (Uranus zusätzlich noch in Konjunktion mit Venus) und Mondknoten mögen auf fortwährende Trennung jener Beziehungen hinweisen, die die Sicherheit Martinas aufs Spiel setzen und die sie überdies dazu verpflichten, das ganze seelische Gewicht eines Partners, die Verantwortung für ihn anzunehmen. Das wird zusätzlich durch den Vertex im 8. Haus im Zeichen Zwillinge bestätigt. Martina aktualisiert ein Muster der Symbiose, der Spannung und zugleich der Entfernung vom Objekt ihrer Liebe. Sie möchte den jeweiligen Partner unter ihrer Kontrolle halten, möchte aber, was Präsenz und Verlässlichkeit in der Beziehung angeht, keine vergleichbare Verfügbarkeit und Sicherheit offerieren.

Die karmische Herausforderung ergibt sich mit der notwendigen Veränderung dieser Beziehungsdynamik. Es gilt für Martina, größere Klarheit in Beziehungen zu gewinnen. Äußere Ansprüche muss sie hinter sich lassen. Sie muss ihre Fähigkeit, in einer Partnerschaft zu leben, vertiefen, muss über ihre eingeschliffenen Verhaltensmuster hinaus ihre Seele für Erfahrungen öffnen und eigene Vorstellungen von Partnerschaft entwickeln, um so zu größerer gefühlsmäßiger Klarheit und Sicherheit zu gelangen. Erst das kann zu emotionaler Befriedigung führen; und dann dürfte Martina auch Vertrauen in Bezug auf die Männerwelt aufbauen.

3.
In Partnerschaft zusammenleben: Existenzielle Herausforderung und Chance zur Entwicklung

Weißt du, Liebste, es ist einfach zu verstehen,
ob du jemand liebst oder nicht.
Das ist keine höhere Mathematik. Das weißt du sofort.
Eigentlich weißt du das so schnell, dass du anfangs zweifelst,
ob das, was du erlebst, tatsächlich Liebe sei.
Shyam Selvadurai

Die Unordnung in Beziehungen enthüllt,
dass es sich nicht um Liebe handelt.
Und diese Unordnung ist weiter nichts als Konformismus.
Jiddu Krishnamurti

Wir entscheiden uns in einem bestimmten Augenblick unseres Lebens für eine Partnerschaft. Darin steckt ein Geheimnis. Dieses Geheimnis betrifft freilich mehr den Zeitpunkt, zu dem unser Entschluss fällt, als unsere grundsätzliche Motivation zu einer Beziehung.

Die Liebe, die uns eine Partnerbindung eingehen heißt, ist etwas ganz Besonderes. Sie ist, wie McGrath schreibt, »die leidenschaftliche Hingabe an ein Ideal«. Es gibt keine Partnerschaft, wenn es nicht die Idee einer Partnerschaft gibt. Und solange in beiden Partnern die Idee der Partnerschaft wirksam ist, geschieht Beziehung. Wir haben im Leben sehr viele Begegnungen. Das ist mit einer Menge Träume und Projektionen verbunden. Aber nur aus wenigen Begegnungen werden Liebesbeziehungen. Diese entstehen aus dem oben ausführlich beschriebenen Wir-Gefühl. Ein Grund hierfür hängt damit zusammen, dass wir einen bestimmten Lebensweg gehen sollen. Der Partner, den wir gewählt haben und von dem wir seinerseits gewählt wurden (welche Wahl wäre im Übrigen als vollkommen frei zu bezeichnen?), ist für uns das Mittel, mit dem wir diejenigen Probleme begreifen und vielleicht auch lösen können, die wir aus vergangenen Leben mitgebracht haben.

Das alles fordert einen Preis. Der Preis der Liebe besteht oft darin, dass unser Interesse an anderen Lebensbereichen zurückgeht, auf denen wir noch kurz zuvor unser Bestes geben konnten und entsprechend beachtet wurden. Wenn wir uns verlieben, wenn wir eine echte Partnerschaft eingehen, vollzieht sich ein merkwürdiges, aber nicht unlogisches Gesetz des Ausgleichs: Etwas, das für uns zuvor höchste Bedeutung hatte, wird unwichtig, scheint sich von uns zu entfernen – oft so, als handele es sich um einen hintergangenen Geliebten, der rachsüchtig alle Brücken zerstört und jedes Gespräch unmöglich macht. Eine alte »Beziehung« verändert sich nun massiv, wird zumindest auf eine andere Ebene gehoben. Oft ist es die berufliche Tätigkeit, die ziemlich plötzlich vernachlässigt wird. Das Motiv ist einfach. Die Liebe, zumal zu Beginn einer Beziehung, nimmt unser Herz, unseren Geist fast gänzlich ein. Sie wohnt nun da, wo wir kurz zuvor noch an unserer Karriere gearbeitet haben, wo wir uns kurz zuvor noch völlig in der Pflicht gegenüber all dem fühlten, was wir für unser sonstiges Wohlergehen für unverzichtbar hielten. Anders gesagt, wir stehen anderen Menschen nicht mehr in demselben Maß zur Verfügung wie zuvor. Das hat auch Konsequenzen für unseren »sozialen Erfolg«. Waren wir zuvor auch bereit, noch am Wochenende zu arbeiten, so sind wir nun, da wir uns verliebt haben, damit beschäftigt, die seelische Erfahrung der Partnerbeziehung zu leben. Jetzt stehen wir nicht mehr unbegrenzt zur Verfügung, denn wir sind damit beschäftigt, unsere Beziehung zu bauen und zu vertiefen. Wir haben keine Zeit, an andere Dinge zu denken.

Zu Beginn einer Beziehung vervielfacht sich unsere Kreativität. Merkwürdigerweise wird sie dann wieder schwächer, wenn sich die Beziehung festigt. Denn jetzt fehlen in gewisser Weise die Anregungen von außen. Oder ganz einfach, jemand oder etwas anderes ist nunmehr nicht nötig. Der Partner deckt alles ab. Die psychische Spannung, aus der die gesteigerte Kreativität resultiert, wird durch die Präsenz des Partners gleichsam aufgesogen. Dieser sichert und befriedigt alle existenziellen und emotionalen Bedürfnisse, welche die Triebfeder jedes schöpferischen Prozesses sind.

Das heißt natürlich nicht, dass, wer in einer Partnerschaft lebt, zwangsläufig erfolglos bleibt oder davon abgehalten wird, etwas

Bedeutendes hervorzubringen. Gewiss aber wird er diesbezüglich größere Schwierigkeiten haben. Denn in einer Beziehung zu leben, heißt, weniger Freiraum zu haben. Zeit und Gefühle werden miteinander geteilt. Wahrscheinlich ist das Maß an Innenschau geringer, die freilich für jeden schöpferischen Prozess unabdingbar ist.

Andererseits ist eine Partnerschaft, eine lebendige Beziehung in sich ein schöpferisches Geschehen, eine kreative Erfahrung. In einer Partnerschaft zu leben, bezieht ein eigenständiges Sein aus der Bindung als solcher. Mit der Zeit können aus diesem Seinszustand einzigartige Dinge entstehen. Die Zeugung und die Geburt eines Kindes ist für viele Menschen einer der wichtigsten schöpferischen Akte überhaupt im Leben.

Mitunter können Ursprung und Impuls zu einem kreativen Prozess in der Beziehung gänzlich von einem der Partner ausgehen. Generell freilich geschehen solche Entwicklungen, nachdem das Paar für sich eine stabile und tragfähige gemeinsame Basis gefunden hat, erst dann, wenn es keine starken Spannungen in der Beziehung selbst oder von außen gibt.

Ein Paar bzw. jemand, der in einer Partnerschaft lebt, verfügt über eine ganz andere Kreativität als derjenige, der allein ist. Das Paar befindet sich in einer ganz anderen Erfahrungswelt, hat ganz andere Bedürfnisse. Man kann den tatsächlichen Unterschied feststellen, wenn eine Beziehung in eine Krise gerät. Das Pathos, die Intensität, die Gefühlsausbrüche und gewiss auch die emotionalen Zusammenstöße treiben dazu an, die eigene existenzielle Orientierung herauszuarbeiten. Man eignet sich wieder alte Bedürfnisse an. Man stürzt sich in Arbeit, um nicht leiden zu müssen, oder man weint während der Arbeit. Aber wir befinden uns dann auf einer ganz anderen Ebene, weder höher noch niedriger – einfach nur anders!

Partnerschaft ist mithin magische Alchimie. Sie verlangsamt und transformiert alte Rhythmen und Bedürfnisse. Aber sie löscht sie keineswegs aus. Das Geheimnis lange währender Partnerbeziehungen beruht möglicherweise darauf, dass gerade diese alten Rhythmen und Bedürfnisse Berücksichtigung finden. Sie dürfen sich in der Beziehung auf umso schönere Weise ausdrücken, in einem neuen Bedingungsgefüge, das die Partner bereichert statt sie einzuengen.

In einer Partnerschaft zu leben bedeutet ständige Herausforderung. Doch das ist zugleich ein wundervolles Abenteuer, das Augenblick um Augenblick durchlebt werden darf. Das Ziel, zu dem man sich zusammengefunden hat, wird unterwegs entdeckt und erarbeitet. Das zu wissen ist wichtig. Die Partner dürfen nicht vergessen, dass sie auf einem gemeinsamen Weg sind. Die Reise ist eine Erfahrung, die gewiss mitunter ermüdend und schwierig ist, die aber auch Lebendigkeit verheißt, Verwandlung zeitigt. Im Bild des Unterwegsseins lässt sich vielleicht die wahre Essenz von Partnerschaft erschließen – das Bedürfnis, aber auch das Glück, eine Beziehung einzugehen.

Das Composit-Horoskop und seine karmische Deutung

Das Composit beruht auf einer Technik, die noch nicht sehr alt ist. Sie wurde dank der Pionierarbeit von John Townley und Robert Hand Mitte der siebziger Jahre in den USA entwickelt. Es war Robert Hand, der das Composit in einem umfangreichen Handbuch erläuterte und so zu seiner Verbreitung beitrug. So spricht man heute auch von der »Methode *Hand*«. In Wahrheit freilich sind die beiden genannten Forscher lediglich diejenigen, die auf früheren Untersuchungen von Reinhold Ebertin und der *Hamburger Schule* aufbauen. Zum ersten Mal war vom »Composit«, vom »integrierten Horoskop« die Rede auf einem Astrologiekongress Anfang der siebziger Jahre in einer Darstellung der Astrologin Arlene Plakun. Parallel dazu gab es in Deutschland Untersuchungen von Walter und Edith Wangemann, die in dieselbe Richtung mit nahezu identischen Resultaten liefen.

Ich persönlich schätze das Composit-Horoskop als unmittelbares Bild für denjenigen psychologischen Bezirk ein, der in der Partnerbeziehung durch das Wir dargestellt wird. Das Zusammenleben, die gemeinsame Intimität drücken sich in diesem Horoskop aus. Es geht nicht darum, den anderen um des »Wir« willen zu behindern oder zu beschneiden, es geht nicht darum, den je eigenen Raum zum Handeln, das jeweilige Für-Sich-Sein zu leugnen. Im Composit zeigt sich das Gefühl, dass man zueinander gehört, zeigt sich, wie man zu zweit und füreinander fühlt und denkt. Ein Composit vermittelt uns stets die genaue Situation einer Beziehung und überdies die Art und Weise des Interesses, das zwei Personen aneinander bindet. Bei einem Composit vermeidet man die Zweifel, die bei der Analyse einer Synastrie aufkommen können. Eine Synastrie ist unter Umständen nicht so objektiv im Blick auf die Art und Weise der Beziehung, die sich da entwickelt. Eine Synastrie konzentriert sich viel stärker auf die Interaktion zwischen den beiden Partnern. Ich stimme völlig mit Robert Hand überein, wenn er schreibt:

»Bei der Deutung von Composit-Horoskopen habe ich nur wenig oder gar nichts von der Vieldeutigkeit bemerkt, die bei den konventionellen Methoden des Horoskopvergleichs (Synastrie) auftritt. Schöpferische und positive Beziehungen lassen sich klar und eindeutig erkennen, und das Gleiche gilt auch für schwierige und verhältnismäßig wenig lohnenswerte Partnerschaften. Das Composit ermöglicht es mir, die genaue Art und Weise der Schwierigkeiten in einer problematischen Beziehung zu erkennen und den betreffenden Personen einsichtsvolle und nützliche Ratschläge über mögliche Lösungen für die Probleme zu geben, mit denen sie sich gegenseitig konfrontieren.« (Zit. nach der deutschen Übersetzung: Robert Hand, Planeten im Composit. Astrologie der Beziehungen. Papyrus Verlag, Hamburg 1982, S. 9.)

Hier soll noch einmal unterstrichen werden, dass ein Composit das Selbst, das »Wir« einer Partnerschaft zum Thema hat. Aus karmischer Sicht zeigt das Composit, warum sich die beiden Partner begegnet sind. Es zeigt, mit welcher Absicht sich die beiden Personen verbunden haben und vor allem, wohin der gemeinsame Weg geht.

Jede Gefühlsbeziehung trägt in sich die Möglichkeit zu Wachstum und Entwicklung. Man kann dieses Potenzial über das Composit herausarbeiten. Dieses Potenzial wird durch den dominanten Planeten im Composit dargestellt, vor allem dann, wenn es sich um einen Langsamläufer handelt. Ähnlich zeigt sich das in der vorherrschenden Aspektart.

Der dominante Planet des zugehörigen Composits ist die Triebfeder dafür, dass das Paar miteinander in Dialog tritt und ein Gemeinschaftsprojekt entwirft, welches für das Leben der beiden Partner wichtig ist und das nur sie allein verwirklichen können. Recht häufig kommt ein solches Projekt allerdings nicht zur Ausführung. Freilich, die bloße Tatsache, dass zwei Menschen einander begegnet sind, hat hier schon einen beträchtlichen Wert. Denn die beiden sind schon durch ihr Gewissen gebunden.

Man kann das Composit auch als Bild für den Weg verstehen, den das Paar geht, um sich zu entwickeln. Solche Entwicklung ist geprägt von gegenseitigem Verstehen, vom Lösen gemeinsamer Probleme. Da gibt es natürlich Irrtümer. Aber nahe bei diesen Irrtümern vollzieht sich die Entdeckung und Vertiefung jener Fähigkeiten, die es dem Paar ermöglichen, ein gemeinsames Ziel zu erreichen, auch wenn mitunter die Zwecksetzungen der einzelnen Partner unterschiedlich sind. Hier liegt das Motiv dafür, dass ein Paar auch zu einem Ende der Gemeinsamkeit gelangen kann, wenn das zuvor anvisierte Ziel erreicht ist. Sofern nicht andere gemeinsame Projekte noch eine Rolle spielen, geht die Beziehung auf natürliche Weise zu Ende. Die Aufgabe der Beziehung ist dann erfüllt.

Schon bei einer einfachen Schnellanalyse des Composits erkennt man, dass immer ein Haus oder ein Zeichen durch mehrere Planeten betont ist. Hier findet sich der Zugang zur psychologischen Struktur der jeweiligen Beziehung, zu demjenigen Faktor, der die Beziehung hauptsächlich ausmacht. Man könnte auch sagen, dass damit diejenige seelische Dimension der Beziehung symbolisiert ist, die im täglichen Miteinander dominiert, die gemeinsame Art und Weise, in der sich das Paar nach innen wie nach außen verhält.

Man kann das Composit mit einem gestochen scharfen Foto vergleichen, das das Typische der Beziehung abbildet. Darüber hinaus zeigt das Composit mit einer gewissen Eindeutigkeit an, ob eine Partnerschaft glücklich oder weniger glücklich ist. Damit ist natürlich nicht gesagt, ob eine Beziehung für die Dauer von Jahren oder nur von wenigen Wochen bestimmt ist. Dies fällt in die Entscheidungsfreiheit des Menschen, der sich bindet, hat aber auch mit der Art und Weise der karmischen Erfahrungen zu tun, die in diesem Leben zu machen sich ein Mensch entschlossen hat.

Wir wollen nun die Deutung der Häuser und der Planeten im Composit erarbeiten, und zwar sowohl im Blick auf das psychologische als auch auf das karmische Profil. Wir beginnen mit den Häusern:

1. Haus

Das 1. Haus ist das Gefäß, welches die Möglichkeiten des Paares birgt, gewissermaßen der Schrein, in dem das Paar etwas sehr Wertvolles verwahrt. Es handelt sich um das Entwicklungspotenzial, das vom 1. Haus her seinen Ausgang nimmt. Und hier kann man es, freilich nur in besonderen Momenten, anzapfen. Aus karmischer Sicht hat dieses Haus keinen Bezug zur Vergangenheit, sondern es hängt hauptsächlich mit künftigen Leben zusammen. Denn im 1. Haus lebt das Paar sein Hier und Jetzt. Es bezeichnet das, was in diesem Leben gesät und was vielleicht in künftigen Leben geerntet wird.

2. Haus

Das 2. Haus verweist auf die Pflichten, die in der Partnerschaft eine Rolle spielen, auf Verantwortungen, die miteinander eingegangen werden. Indem das Paar derartige Verpflichtungen akzeptiert und Tag für Tag erfüllt, wird auch die Beziehung gefestigt. Aus karmischer Sicht gibt uns dieses Haus auch Hinweise auf solche Verantwortlichkeiten, die schon in der Vergangenheit die Gemeinschaft bestimmten. Das Paar kann sich nun gleichsam als glücklicher Erbe fühlen oder aber in der Rolle des Schuldners. Vom 2. Haus her wird verständlich, wo die Wurzeln einer Beziehung liegen und ob es sich um eine Bindung handelt, die schon aus einem vergangenen Leben herrührt. In der Synastrie hingegen geht es beim 2. Haus um die Art der Abhängigkeit, die die Partner womöglich hergestellt haben. Diese Bindung gilt es aufzulösen.

Im 2. Haus beim Composit finden wir ein äußerst wichtiges Element für das Leben eines Paares, nämlich wie man Wurzeln bildet. In manchen Fällen ist dieses Haus eines der karmischen Häuser schlechthin, weil wir hier begreifen, woher das Paar kommt bzw. warum – für den Fall, dass die Beziehung nicht schon in vergangenen Leben gelebt wurde – die Partnerschaft überhaupt entstanden ist. Hier kann man auf psychologischer Ebene die karmischen, aber auch die ganz praktischen und allgemeinen Wurzeln der Paarbeziehung erkennen.

3. Haus

Das 3. Haus bezeichnet das Denken des Paares. Es macht uns verständlich, welche Art von Kommunikation das Paar verbindet. Dabei geht es immer um die lebenspraktische Kommunikation, die der Beziehung in der Lebens- und Alltagsroutine überleben hilft.

Die ersten fünf Häuser im Composit sind am wichtigsten für eine Einschätzung, ob eine Beziehung real überhaupt eine Chance hat oder nicht. Denn es sind die Häuser, die uns, sofern gut besetzt, helfen können, ohne allzu große Schwierigkeiten die Unbilden des Alltags zu überstehen, die Konfrontation mit der Wirklichkeit, die Routine, wie sie dann durch das 6. Haus gegeben ist.

Das 3. Haus stellt nicht etwa utopische Ideale dar. Diese finden wir im 11. Haus. Im 3. Haus geht es um die Fähigkeit, zusammen zu sein, ohne sich zu langweilen. Das ist die größte Herausforderung, der sich das Paar gegenüber sieht. Das 3. Haus gibt die eindeutigsten Hinweise darauf, wie das Paar Tag für Tag miteinander umgeht. Dabei geht es auch um die Fähigkeit, sich gegenseitig zu unterstützen oder auf angenehme Weise Zeit miteinander zu verbringen. Hier finden wir die Elemente des Alltags, die der Beziehung Realität verleihen.

Aus karmischer Sicht gibt das 3. Haus auch zahlreiche deutliche Hinweise darauf, ob es zwischen den Partnern früher geschwisterliche oder sonstige enge seelische Beziehungen gab. Allgemein: Steht ein schnell laufender Planet im 3. Haus, sollte die Bindung in diesem Leben erneut bearbeitet oder jedenfalls eingehend erörtert werden, damit Abhängigkeiten und Blockaden gelöst werden können.

4. Haus

Das 4. Haus in einem Composit bietet verschiedene Deutungsmöglichkeiten. Dazu gehört, dass hier die Fähigkeit des Paares beschlossen liegt, als »Wir« zu denken. Auf der äußeren, nicht nur psychologischen Ebene passt dazu, dass das Paar das Bedürfnis verspürt, Stein um Stein sein eigenes Haus zu bauen – auch ein Thema des 4. Hauses. Aus karmischer Perspektive kann das 4. Haus freilich auch zeigen, inwieweit sich die Partner in vergangenen Leben gegenseitig unterstützt haben. Wenn eine Beziehung in früheren Leben zerstörerisch war oder wenig Sicherheit bot, lässt sich das im 4. Haus erkennen: Ist Uranus, Merkur oder Pluto verletzt im 4. Haus, deutete das oft darauf hin, dass sich das Paar keine Sicherheit zu geben vermochte, dass die Beziehung, wo nicht zerbrochen, doch stets auf der Kippe stand. Das 4. Haus stellt aber auch das Gedächtnis des Paares dar, sei es als gleichsam historische Erinnerung mit Blick auf den Beginn der Beziehung, sei es als karmisches Gedächtnis. Dieses Haus ist somit wichtig für die Frage, ob und wie das Paar auch in vergangenen Leben als Paar gelebt hat. Zusammen mit dem 2. Haus liefert es die wichtigen Hinweise auf die karmischen Bezüge einer Partnerschaft.

5. Haus

Dieses Haus hat eng zu tun mit der Phase der ersten Verliebtheit des Paares. Aus psychologischer Sicht ist es das Haus des Wagnisses, der Ort, da sich das Paar selbst erprobt, wo es die Möglichkeit sieht, seine ganzen Energien, seine ganze Kreativität zum Ausdruck zu bringen. Hier fließen zwei Ströme von außerordentlich großer Kraft zusammen. Das Paar muss Acht geben, dass sich diese zwei Ströme nicht gegenseitig vernichten. Das 5. Haus im Composit stellt also nicht nur die Liebesleidenschaft dar, die Erotik des Paares, seine Fähigkeit, sich Lust und Freude zu bereiten und einander gut zu tun. Es geht hier auch um die Möglichkeit, etwas entstehen zu lassen, nämlich das Wir. Hier ist das Paar gewissermaßen mit dem Wir schwanger. Oft zeigen die Planeten, die in Verbindung mit dem 5. Haus stehen, an, dass die Beziehung der beiden in einem vergangenen Leben stürmisch verlaufen ist, sozusagen in kräftigen Farben gemalt. Die Partner waren eher Geliebte als Eheleute. Das 5. Haus dreht sich immer, sei es im Geburtshoroskop, sei es im Composit, um Liebe und Leidenschaft, nicht so sehr um die Beziehung als solche.

Und so symbolisiert es auf der karmischen Ebene die Beziehung, wie sie in vergangenen Leben von Geliebten gestaltet worden ist, es symbolisiert die daraus entstandenen karmischen Folgen. Wenn gespannte Aspekte vorliegen, vor allem bei Lilith im 5. Haus, ist es sehr wahrscheinlich, dass auch Tabugrenzen überschritten wurden oder dass die Beziehung äußerst eigentümlich war – etwa bei Dreiecksbeziehungen, bei inzestuösen Beziehungen usw. In diesem Haus erkennt man stets auch die Anlage zu Nachwuchs. Steht der Mond verletzt im 5. Haus, wünscht sich das Paar möglicherweise vergebens Kinder. Oder es gibt Spannungen mit den Kindern aufgrund von ungelösten Problemen aus früheren Leben.

6. Haus

Das 6. Haus ist, wie bereits angedeutet, der Prüfstand für die Partnerschaft. Es gibt Hinweise darauf, wie das Paar den Alltag lebt, wie es um die Fähigkeit bestellt ist, zusammen zu sein, ohne sich zu zerstreiten und die Beziehung in tausend Fetzen gehen zu lassen. Es zeigt an, wie die Partner in der Beziehung selbst Sorge füreinander tragen. Es symbolisiert die konkrete Fähigkeit zum Ausgleich. Im 5. Haus ging es um das Harmonieren auf energetischer Ebene. Im sechsten Haus geht es um die Harmonie auf leiblicher Ebene. In der Tagesroutine lernen die Partner, anstelle von »mein« oder »dein« »unser« zu sagen. Es handelt sich sozusagen um die Generalprobe, bevor sich die Partner wirklich zum Wir verbinden. Das ist dann die Aufgabe im 7. Haus. Im 6. Haus erprobt das Paar, seinem Leben eine Ordnung zu geben. Nachdem die wichtigsten Erfahrungen im Blick auf die Stabilität der Bindung gemacht sind, werden diese Erfahrungen im 6. Haus sozusagen ausgewertet. Dies ist für die Dauer der Partnerschaft von höchster Bedeutung.

Dieses Haus gibt auch Hinweise darauf, von welcher Dauer die Beziehung ist, vor allem, ob sie halten kann oder ob sie schon beim ersten Gewitter zerbricht. Wenn Mond und Venus im 6. Haus stehen, ist es sehr gut möglich, dass die Partnerschaft innere Festigkeit erreicht und dass emotionale Sicherheit im Alltagsgeschehen tragend und stützend wirkt.

Aus karmischer Sicht verweist das 6. Haus auch auf die Aufgaben des täglichen Lebens, vor allem dann, wenn diese in früheren Leben vernachlässigt wurden. Gut möglich, dass es Probleme gibt, die in früheren Leben ungelöst blieben oder vor denen die Partner davongelaufen sind. Jetzt manifestieren sich diese Dinge noch einmal, damit sie endgültig zu den kosmischen Akten gelegt werden können. Mitunter handelt es sich um ein gesundheitliches Problem bei einem der beiden Partner, das in dem Moment aufkommt, da die Partnerschaft fest wird, oder es geht um ein berufliches Problem, das für eine gewisse Zeit gemeinsame Projekte auf Eis legt. Es handelt sich im 6. Haus also um diejenigen Seiten des Lebens, die dem Paar die Möglichkeit geben, sich gegenseitig zu helfen und zu unterstützen. Somit kann das Paar zu einer Stabilität in der Beziehung gelangen, die es in vorangegangenen Leben so nicht gab, weil es möglicherweise an Bereitschaft und an Sinn für gegenseitige Verantwortung fehlte.

7. Haus

Das 7. Haus im Composit zeigt die Fähigkeit des Paares an, als Paar zu leben. Es ist der Ausdruck des Wir, des Selbst in der Partnerschaft. Mit dem 7. Haus kann man erkennen, wie das Paar als Paar zu leben vermag, ob es die Fähigkeit ausgebildet hat, sich als Paar zu definieren. Dieses Haus bedingt schon durch seine Natur die Beziehung. Wie schon gesagt geht es in diesem Haus um die Ausbildung des Wir, um das Gefühl des engen Miteinanders, das sich in mancherlei Situationen manifestiert, wie zum Beispiel darin, dass die Partner zur selben Zeit an dasselbe denken. Aus karmischer Sicht kann man über das 7. Haus erkennen, wenn sich die beiden Partner schon in früheren Leben begegnet sind. Es dürfte freilich nur schwer zu einer Liebesbeziehung gekommen sein. Generell gilt: Wenn vom 7. Haus her Aspekte vorliegen, die die Annahme einer karmischen Wiederbegegnung begünstigen, handelt es sich meist um frühere Beziehungen, die nicht allzu engagiert waren. Ob die Partner sich nun gut oder weniger gut fühlten, offenbar sind sie nie über eine bestimmte Grenze hinausgekommen. Im jetzigen Leben wird dieser Schritt möglicherweise versucht. Liegen harmonische Aspekte eines Schnellläufers mit einem oder mehreren langsamen Planeten (besonders Saturn, Chiron und Pluto) vor, kann die Beziehung eine sehr schöne Entwicklung nehmen.

8. Haus

Das 8. Haus im Composit macht Aussagen über die erotischen Gestaltungs- und Einbildungskräfte des Paares. Es gibt aber auch Auskunft darüber, wie das Paar auf sexueller und überhaupt auf leiblicher Ebene kommuniziert. Darüber hinaus findet sich hier die

Fähigkeit des Paares, die wahren persönlichen Wertsetzungen vor anderen Menschen zu verbergen, Geheimnisse zu hüten. Hier ist von all dem die Rede, was das Paar geheim halten will oder muss.

Aus karmischer Sicht verweist das 8. Haus nicht nur auf gemeinsame Geheimnisse aus bereits vergangenen Leben, sondern eventuell auch auf eine zerstörerische Beziehung mit scheinbar oder tatsächlich törichten Entscheidungen. Hier können Handlungen aus vergangenen Leben vorliegen, zu denen das Paar an sich keine Neigung hatte oder die es nicht wollte. Wenn das 8. Haus im Composit betont ist, kann sich das Paar unter einem Zwang fühlen, in diesem Leben ein Problem lösen zu *müssen*. Dieses Haus kann außerdem darauf hindeuten, dass die Beziehung in früheren Leben unausgewogen war, nicht auf Ebenbürtigkeit beruhte oder durch Krankheit beeinträchtigt war. Der eine Partner übte starken Einfluss aus, dem sich der andere passiv unterwarf. In diesem Leben kann gleichsam als Erbe ein anfängliches Ungleichgewicht in Bezug auf bestimmte Bereiche des Zusammenseins bestehen mit der Aufgabe, durch die Arbeit an der gemeinsamen Entwicklung zu einer ausgeglichenen Gemeinschaft zu finden.

9. Haus

Das 9. Haus bezeichnet die seelische Fähigkeit des Paares, miteinander eine »Philosophie des Lebens« zu erfahren und zu erarbeiten. Diese Lebensphilosophie dient dazu, als Paar in den verschiedenen existenziellen Prüfungen zu bestehen, zu überleben. Damit ist nicht gesagt, dass sich jeder Partner gänzlich in dieser Lebensphilosophie wiederfindet, denn es handelt sich um die Lebensphilosophie der Partnerschaft, nicht der einzelnen Partner. Anders gesagt, im 9. Haus findet sich jener besondere Lebensstil des Paares (auch wie dieser Stil von beiden angenommen wird), der das Paar auch nach außen, im Blick auf die es umgebende Gesellschaft, kennzeichnet.

Das 9. Haus verweist aber auch auf den »Gruppengeist« der Partner, ihre Fähigkeit, sich in eine Gruppe von Freunden zu integrieren. Die vielleicht wichtigste Aufgabe in diesem Haus verknüpft sich mit dem, was das Paar für sich selbst lernen soll – beide in ausgewogener, ebenbürtiger Weise. Aus karmischer Perspektive stellt das 9. Haus den Hintergrund dar, der das Paar trägt – aus sozialer Sicht und aus der Sicht des vergangenen Lebens. Hier finden sich gemeinsame Interessen, findet sich der Sinn für Kultur, findet sich die Art des Denkens, wie es in vergangenen Leben erworben wurde. Wenn das 9. Haus betont ist – etwa mit zwei oder drei Schnellläufern –, kann es auch eine besondere Art der Beziehung andeuten, die die Partner im Vorleben zueinander hatten, und zwar durchweg eine sozial definierte Beziehung: etwa Lehrer und Schüler oder die Zugehörigkeit zu einer besonderen Religionsgemeinschaft oder zu einer sonstigen Gruppe.

10. Haus

Das 10. Haus beginnt mit der Himmelsmitte, dem »Medium Coeli«. Hier, am höchsten Punkt des Horoskops, zeigt das Composit den besonderen Glanz des Paares nach außen. Hier zeigt sich das Paar gewissermaßen der Öffentlichkeit als »Wir«. Generell haben diejenigen Paare, die ihre Gefühle nicht im hellen Sonnenlicht ausleben können, Neptun, Pluto oder Lilith in diesem Haus. Um sie ist immer etwas, das es ihnen verwehrt, an die Öffentlichkeit zu gehen. Steht aber die Sonne im 10. Haus, kann sich das Paar früher oder später öffentlich darstellen. Das 10. Haus ist die gesellschaftliche Bühne des Paares. Hier gelingt es dem Paar, sein Bestes zu zeigen und zu geben. Aber hier gelingt es dem Paar auch, um sich herum Harmonie und Stabilität zu schaffen.

Das 10. Haus ist der Ort, wo das Paar sich als etwas Besonderes darstellt und zeigt. Hier baut das Paar etwas auf, mit dem es sich gewissermaßen auf dem Markt präsentiert. Das fordert die Aufmerksamkeit und den Neid anderer heraus. Das 10. Haus entscheidet definitiv, in welcher Weise das Paar seine Verantwortung annimmt. Aus karmischer Sicht bietet das 10. Haus Hinweise auf das soziale Umfeld, in dem das Paar in vergangenen Existenzen gelebt hat. Das soziale Ambiente lässt sich aus der Natur der Planeten erschließen, die im 10. Haus stehen. Zeigt das Composit Planeten wie Jupiter, Merkur oder Sonne in synthetischen Aspekten, war möglicherweise der soziale Status des Paares in früheren Leben gesichert, bei einer angenehmen Lebensführung in äußerer Wohlhabenheit. So war das Zusammenleben eine Freude. Finden sich im

Composit jedoch Neptun, Mars oder Pluto im 10. Haus, hat das Paar vermutlich kein leichtes Leben gehabt. Möglicherweise wurde es aufgrund von Entscheidungen, die sozial nicht akzeptiert wurden, abgelehnt.

11. Haus

Dies ist das Haus der Grenzüberschreitungen und, in gewisser Hinsicht, das Haus des Verrats. Aber gleicherweise kann das 11. Haus auch das Haus sein, in dem das Paar Interessen entdeckt, die über die unmittelbare Partnerbeziehung hinausreichen. Das 11. Haus gibt auch Hinweise darauf, ob und in welcher Weise sich die Partner freies Einverständnis, Respekt und Vertrauen geben können. Das »Wir« wird von zwei Seiten her aus dem Ich der Partner gebildet. Aber es gibt auch andere Seiten bei den einzelnen Egos, die als private Anteile unverletzlich und unveränderlich zum Einzelindividuum gehören. Es sind diese Anteile, die im 11. Haus des Composits Beachtung und gewissermaßen Freizügigkeit fordern. In diesem Haus wird die Fähigkeit der Partner getestet, sich gegenseitig zu vertrauen und sich nicht im Stich gelassen zu fühlen, wenn der andere Partner um Freiheit bittet. Ein weiterer Aspekt im 11. Haus sind die Grenzüberschreitungen, die Regelverstöße, die das Paar nach innen oder nach außen auslebt. Wenn diese Verstöße nicht gemeinsam begangen werden, bekommen sie den Charakter des Verrats. Hier ist die äußerste Grenze markiert, wie weit ein Regelverstoß mit Blick auf die Normen, die sich das Paar gegeben hat, noch tolerierbar ist.

Aus karmischer Sicht kann das 11. Haus darauf hindeuten, dass die beiden Partner in vergangenen Leben eine eher unruhige, nomadenhafte Existenz geführt haben. Sie haben sich möglicherweise ein großes, jedoch utopisches Gemeinschaftsprojekt vorgenommen, um dessen Verwirklichung sie fortwährend kämpfen mussten. Denkbar ist auch ein vergangenes Leben, in dem es dem Paar nicht möglich war, sich wirklich als Paar zu fühlen, weil das Bedürfnis nach Freiheit zu groß war. Zwar mögen sich die beiden geliebt haben, doch war es ihnen unmöglich, auch nur eine einigermaßen feste Struktur zu bilden. Aber merkwürdigerweise zeigt sich gerade die Liebe, die von Dauer ist, im 11. Haus. Liebe ist auch

Freundschaft. Und das 11. Haus zeigt, inwieweit es dem Paar möglich ist, eine aufrichtig freundschaftliche Beziehung zu pflegen, eine Freundschaft, die auf der Wahlverwandtschaft der beiden Partner beruht. Hier werden die Partner zu Freunden, sofern sie sich bereits ineinander verliebt haben. Wenn sie hingegen bereits Freunde sind, ist es das 11. Haus, in dem sich die Leidenschaft entzünden kann.

12. Haus

Im 12. Haus trifft das Paar auf dasjenige, vor dem es, koste es, was es wolle, fliehen möchte. Es ist aber zugleich etwas, dem nicht ausgewichen werden darf. Mitunter geschieht die Konfrontation auf heftige Weise. Und es ist das, was die Partnerschaft schließlich zusammenzuhalten, was ihr eine feste Identität zu geben vermag. Oder das Paar begreift im 12. Haus des Composits, dass es sich bei der Beziehung bloß um einen netten Zeitvertreib gehandelt hat, dass es keinen gemeinsamen Boden gibt, auf dem sich eine echte, reife Beziehung gründen ließe, verantwortlich und bereit, auf Eigenes zu verzichten, um das Wohl der Partnerschaft zu sichern. Im 12. Haus bröckeln die Illusionen. Das Paar weiß um die Prüfungen, denen es sich unterziehen muss, um herauszufinden, ob beide wirklich und aus Überzeugung zusammen wirken können. Ist das 12. Haus von mehreren Planeten besetzt, kann es in der Beziehung von Anfang an Schwierigkeiten beim verstandesmäßigen Austausch geben, während die emotionale Ebene stark betont ist und häufig eine empathische bis telepathische Kommunikation vorherrscht. Damit wird ein tiefes Gefühl inniger Teilhabe aneinander geschaffen, auch wenn all das vielleicht nur auf einem stärkeren Schwanken der Gefühle beruht, einem Auf und Ab in der Beziehung. Die Verwirklichung des Paares über dieses Haus kann auch zu ziemlich heftigen Erfahrungen führen. So mag etwa der eine Partner das Bedürfnis nach gänzlicher, bedingungsloser Unterstützung haben. Das kann die Gefühle auf eine harte Probe stellen und dazu führen, dass der andere Partner sich total verschließt.

Aus karmischer Sicht verweist das 12. Haus auf mögliche Entbehrungen, auf Schwierigkeiten in früheren Leben, überhaupt als

Paar zu leben. Dies kann auf äußere Umstände zurückzuführen sein, etwa auf die Wahl eines Lebenswegs mit bestimmten existenziellen Anteilen (religiöse Entwicklung, von den Eltern arrangierte Ehe usw.). Wenn sich das Paar im gegenwärtigen Leben wiederfindet, dürfte es generell ein anfängliches Gefühl der Verwirrung, des gegenseitigen Verlustes begleiten. Es fällt möglicherweise schwer zu glauben, dass die Beziehung überhaupt zustande kommt. Auch wenn vielleicht vom ersten Augenblick an eine tiefe emotionale Einheit herrscht, halten die beiden Partner doch stets an einem problematischen Argwohn fest.

Die Bedeutung der Planeten im Composit

Beim »karmischen« Blick auf das Composit-Horoskop übernehmen die Planeten die Funktion, das Schicksal zu entschlüsseln. Denn sie geben Auskunft über den besonderen Charakter der Energien, die durch die Begegnung der Partner freigesetzt oder einfach in Bewegung gebracht werden. Die Planeten sind Energiequellen, die die Möglichkeiten des Paares aktivieren. Sie führen dazu, dass das Paar eine Ebene der gemeinsamen Entwicklung erreicht, sie wirken einschneidend auf den Fortgang der Beziehung, die wiederum massiv auf das Leben der einzelnen Partner ausstrahlt. Betrachten wir nun die Bedeutung der einzelnen Planeten im Composit.

Sonne

Die Sonne repräsentiert das Selbst des Paares: so wie das Paar ist, wie es sich selbst wahrnimmt und wo es eine Einheit bildet. Die Sonne hilft verstehen, aus welchen Beweggründen das Paar zusammengefunden hat, und vor allem, warum es eine Einheit bildet. Die Sonne zeigt außerdem an, auf welches konkrete Lebensprojekt die Beziehung ausgerichtet ist und was das Paar miteinander auf schöpferische Weise leisten möchte. Die Sonne deutet aber vor allem das Entwicklungsniveau an, welches das Paar miteinander erreichen soll. Dementsprechend verweist die Sonne auch auf die Erfahrungen, welche die Partner miteinander zu machen haben.

Die Häuserstellung der Sonne im Composit deutet denjenigen Lebensbereich an, der am unmittelbarsten mit dem Lebensprojekt, mit der gemeinsamen Entwicklung des Paares zu tun hat.

Mond

Der Mond verweist im Composit auf karmischer Ebene auf die emotionalen Erfahrungen, die die beiden Partner wahrscheinlich schon in früheren Leben gemacht haben. Vor allem ist der Mond natürlich das Symbol für die intime Gefühlsbegegnung der Partner. Sehr häufig symbolisiert der Mond auch die Möglichkeiten des Paares, Gefühle zu zeigen, Empathie füreinander zum Ausdruck zu bringen. Der Mond zeigt überhaupt an, wie sich das Paar auf der Gefühlsebene erlebt.

Schwierige Aspekte des Mondes können oft als Hinweis darauf verstanden werden, dass das Paar in vergangenen Leben auf der emotionalen Ebene mit Problemen zu tun hatte, besonders wenn Saturn, Uranus oder Mars in die Spannungsaspekte einbezogen sind. Dann hat sich einer der Partner verletzt gefühlt durch grobe Verhaltensweisen des anderen, die wenig Rücksicht auf Gefühle nahmen. Damit ist in diesem Leben ein tiefes Gefühl der Abwehr geschaffen, es kommt zu einem Mangel an emotionaler Aufgeschlossenheit. So gibt es von vornherein ein gefühlsmäßiges Ungleichgewicht in der jetzigen Beziehung. Wenn in der Beziehung das Gefühl entsteht, der eine gebe sehr viel, der andere dafür nur wenig, so dürfte der großzügigere Partner durch den Mond repräsentiert sein, derjenige, der innerhalb der Partnerschaft die weibliche Rolle vertritt, der, der sich passiver verhält, eventuell der jüngere Partner.

Der Mond im karmisch gedeuteten Composit verweist auch darauf, wie das Paar mit dem Thema der Elternschaft, der Nachkommenschaft umgeht, wie es der Möglichkeit gegenübersteht, Kinder zu bekommen und aufzuziehen. Stehen andere Planeten in Spannung zum Mond, so kann das auf eine unbewusste Angst vor Elternschaft oder auf eine diesbezügliche Schwierigkeit hindeuten. Denn schon in vorangegangenen Leben ist wahrscheinlich das Verhältnis zum Thema Schwangerschaft / Elternrolle schwierig gewesen. Wenn der Mond sehr kritisch konstelliert ist und wenn überdies in den Geburtshoroskopen der beiden Partner Merkur und

Mond gespannt stehen, ist die Wahrscheinlichkeit groß, dass sich das Paar in vergangenen Leben auf eine Abtreibung verlegt hat, dass es Situationen gab, die im Blick auf die Elternschaft seelisch belastend waren.

Merkur

Merkur ist mit den gemeinsamen Interessen des Paares verknüpft. Aus karmischer Sicht ist er das Symbol für die geistige, emotionale, seelische und kulturelle Tätigkeit, die das Paar bereits in früheren Leben geleistet hat. Es geht um frühere gemeinsame Interessen, die in diesem Leben zu einem Ziel, einem Abschluss gebracht werden könnten. Recht häufig verweist Merkur darauf, dass es in früheren Leben eine geschwisterliche Verbindung zwischen den beiden Partnern gab. Oder die beiden waren auf seelischer Ebene eng verbunden. Diese Bindung wird nun in einer anderen Form, mit der zusätzlichen Komponente des Eros und der Leidenschaft, erneut gelebt. Steht Merkur im Composit dominant, kann es um die Verwandlung einer früheren Freundschaft gehen. In anderen Fällen kann Merkur, ähnlich wie der Mond, darauf hinweisen, dass die Beziehung zu den eigenen Kindern schwierig ist. Hierfür sind Probleme mit den Kindern aus früheren Leben verantwortlich. Die Spannungsaspekte zu Merkur können darauf hinweisen, dass das Verständnis gegenüber den Kindern im Blick auf das Alltagsleben schwierig bleibt. Dies ist auf wenig klares, möglicherweise nicht gerade aufrichtiges Verhalten in vergangenen Leben zurückzuführen oder auf Mangel an Interesse, auf Verantwortungslosigkeit und manchmal auch auf aggressive Verhaltensweisen, vor allem, wenn Aspekte mit Pluto oder Lilith vorliegen.

Venus

Venus symbolisiert die Art der Bindung, die das Paar im gegenwärtigen Leben bildet. Aus karmischer Sicht deutet die Venus die wahrscheinlichen Erfahrungen an, die die Partner schon in einem früheren Leben als Paar gemacht haben. Steht Venus in beiden Partnerhoroskopen rückläufig, ist es sehr wahrscheinlich, dass sich die beiden schon in einem früheren Leben kennen und lieben gelernt haben, dass sie ihre Beziehung aber nicht in einem festen Rahmen gestalten konnten. Befindet Venus sich nun im Composit in einem der wässrigen Häuser (4., 8. oder 12. Haus), kann es sein, dass die Partner zwar zusammen leben, aber immer noch Schwierigkeiten spüren, wirklich eine Beziehung zu schaffen und ihr eine Zukunftsperspektive zu geben.

Venus beleuchtet auch die Art und Weise, wie die Partner über Gefühle miteinander kommunizieren. Steht Venus in Verbindung mit Pluto und Neptun, sind Ängste denkbar, die eigenen Gefühle mitzuteilen – vielleicht weil es vorangegangene Blockaden oder Unsicherheiten gab, aber auch, weil es den beiden Partnern in früheren Leben aufgrund kultureller oder seelischer Gegebenheiten schwer fiel, sich einander zu öffnen. Bei Spannungsaspekten zu Pluto kommen auch Machtkonflikte und Manipulation ins Spiel, bei Spannungsaspekten zu Neptun haben die Partner Schwierigkeiten, sich offen und klar zu verhalten und authentisch zu sein.

Mars

Mars stellt die Grundenergie dar, welche die Beziehung durchwirkt. Steht Mars im Composit in Spannungsaspekten, kann das darauf hinweisen, dass die Partnerschaft in einem früheren Leben unruhig und stürmisch war, dass möglicherweise von außen oder auch in der Beziehung selbst Gewaltakte eine Rolle spielten, die ein gelassenes Miteinander unmöglich machten. Der emotionale Spannungszustand ist seinerzeit so stark gewesen, dass sich die Spannung auch jetzt noch deutlich bemerkbar macht. Denn die beiden Partner, die sich ja schon aus einem früheren Leben kennen, erleben unmittelbar eine ganz starke Anziehung aufeinander, spüren aber zugleich eine große Furcht vor dem Zusammensein. Steht Mars im Composit ungünstig, hat das Paar Mühe, gut miteinander auszukommen. Es spürt die Schwierigkeit, einander zu verstehen. Und das führt dazu, dass zuerst die emotionalen Vorbehalte der einzelnen Partner bekämpft werden, dass zutiefst an der Beziehung gearbeitet wird, damit dann die eigentliche Beziehung beginnen kann. Sehr oft will ein dominanter Mars im Composit darauf hinweisen, dass sich die beiden Partner begegnen, um diese Gefühls- und Energieblockade aufzulösen, um ein ausgeglichenes und friedvolles Zusammenleben anstelle eines aggressiven und gewalttätigen Miteinanders zu erreichen.

Jupiter

Jupiter im Composit bedeutet die Legitimation der Bindung. Jupiter verweist auf die Fähigkeiten des Paares, einen sozialen Status zu erreichen und der Beziehung einen gesellschaftlichen Ort zu geben. Jupiter hat die Aufgabe, die Art und Weise der existenziellen Bindung nach außen zu tragen und allen darüber Klarheit zu geben. Ganz praktisch, aber auch in einem symbolischen Sinn wird die Partnerschaft mit Jupiter offiziell. So verweist Jupiter auch auf die emotionale Sicherheit und auf die äußerliche materielle Ordnung, die sich das Paar schaffen kann. Darüber hinaus ist Jupiter im Composit äußerst wichtig als Hinweis darauf, wie es dem Paar gelingt, Probleme in der Beziehung selbst zu bewältigen. Steht Jupiter in Spannungsaspekten, begreift man leicht, dass das Paar über keine allzu große emotionale Sicherheit verfügt, auch wenn sonst alles in Ordnung scheint. Der Grund für diese Unsicherheit lässt sich auf frühere Leben zurückführen, wo einer der beiden Partner seiner Verantwortung nur ungenügend nachgekommen ist und den anderen in eine gefährliche, riskante Lage gebracht hat – sei es durch materielle Nachteile, sei es auch aufgrund emotionaler Belastungen. Das wirkt sich auch jetzt auf die Beziehung aus, selbst wenn sich die Lage nun gewandelt haben mag: Die Partner können nicht gelassen miteinander leben, können sich nicht vertrauensvoll einander hingeben.

Saturn

Saturn kann im Vollsinn als Stabilisator der Paarbeziehung betrachtet werden. Saturn gibt der Beziehung die feste, realistische Struktur. Vom ersten Moment an, vor allem wenn er dominant steht, weist Saturn auf die Verantwortlichkeiten hin, denen das Paar Rechnung tragen muss. Ebenso macht er es dem Paar möglich, von vornherein mit persönlichen Fehlern und Mängeln umzugehen. Akzeptiert man diese Prämissen, wird es gewiss wenig Illusionen geben. Verliebt man sich dennoch in den anderen, so heißt das, dass er wirklich etwas Besonderes, für das eigene Schicksal Bedeutendes darstellt. Saturn ist einer der beiden Planeten, die etwas über die Dauer einer Paarbeziehung aussagen. Aspekte zwischen Sonne und Saturn können auf ein langes Miteinander der

Partner hindeuten, auch wenn sie gespannt gestellt sind. Dann sind die Partner in Auseinandersetzungen verstrickt, konfrontieren sich dauernd unter der Perspektive einer Sonne-Saturn-Opposition, prallen sozusagen konstruktiv aufeinander bei einem Quadrat, finden ein gemeinsames Entwicklungsprojekt unter einem Sextil und können sich bei einem Trigon gegenseitig annehmen, ohne sich dauernd in Frage zu stellen. Festigkeit und Dauer einer Beziehung werden durch Saturn gekennzeichnet, ihre Brüche durch Mars, Uranus und mitunter auch durch Neptun. Ist Neptun im Spiel, wird die Beziehung oft sehr oberflächlich angegangen. Man hat das Gefühl, die große Liebe gefunden zu haben, aber es handelt sich lediglich um eine Selbsttäuschung.

Freilich, derselbe Saturn kann einschneidend bei eventuellen Brüchen der Partnerbindung wirken, vor allem wenn er gespannt steht und die vitalen Wertsetzungen des Paares berührt. Steht Saturn in einem der ersten fünf Häuser des Composits, verweist er sehr wahrscheinlich auf Probleme, die sich der Begegnung auf verschiedenen Ebenen der Existenz stellen. Das gilt vor allem, wenn die einzelnen Partner gefühlsmäßig nicht genügend gefestigt sind. Hierzu betrachtet man die Mond- und Venusstellung in den einzelnen Geburtshoroskopen. Dann kann die Beziehung aufhören, bevor sie recht angefangen hat. Vor allem wenn Saturn sich im 1. Haus befindet, steht die Entwicklung der Beziehung nicht gerade unter einem günstigen Stern – obwohl generell ein stark stehender Saturn auf lange Dauer verweist. Das hat aus karmischer Sicht auch damit zu tun, dass das Paar in vergangenen Leben Mühe hatte, zusammen zu bleiben: aufgrund sozialer oder generationsbedingter Vorbehalte, wegen der Krankheit oder wegen des frühzeitigen Todes eines der Partner. Es geht um all diejenigen Lebenslagen, die es dem Paar nicht gestatteten, ein ausgeglichenes Leben zu führen und sich zu entwickeln. Das kann auch in diesem Leben dazu führen, dass es auf der Gefühlsebene, auf geistiger Ebene oder in der praktischen Lebensführung große Hindernisse zu überwinden gilt.

Uranus

Uranus zeigt die innovativen, schöpferischen und wahrhaft entwicklungsbezogenen Möglichkeiten des Paares auf. Er wirkt wie ein Generator steter Wandlungsenergie, stärker noch als Mars. Ein stark gestellter Uranus im Composit kann auf ein recht unkonventionelles Paar hindeuten. Das wiederum kann – merkwürdig genug – ein Hinweis auf die Dauer der Beziehung sein, wenn diese Abweichung von der Norm mit Bewusstheit und Kreativität gestaltet wird. Denn so sucht das Paar Tag für Tag neue Wege und tappt nicht in die Falle der Routine.

Uranus kann, mit Blick auf vergangene Leben, bedeuten, dass das Paar eine ungewöhnliche Beziehung gelebt und dabei manches soziale und kulturelle Tabu gebrochen hat. Außerdem war es wahrscheinlich eine nicht legalisierte Beziehung, geknüpft in Lebenssituationen, die im Widerspruch zum herrschenden Zeitgeist standen – eine illegitime Beziehung, eine homosexuelle Beziehung. Auch ist denkbar, dass es ein Auf und Ab in Diskussionen, dass es Brüche und Wiederversöhnungen gab, ohne dass die Partner der Bindung eine grundsätzliche Stabilität geben konnten. So geriet die Bindung zu einer Art Herausforderung im Blick auf das Paar selbst, und die ganze Welt drumherum diente als Bindemittel für die Beziehung. Sehr wahrscheinlich haben die Partner schon in der Vergangenheit ein gemeinsames Ideal gehabt. Im gegenwärtigen Leben wird dieses Ideal erneuert und soll nun erfüllt werden, auch wenn es in der praktischen Ausführung die eine oder andere Schwierigkeit gibt. Die dominante Position von Uranus im Composit zeigt sich vor allem bei Beziehungen, die aus der Distanz gelebt werden oder die auf sehr unkonventionelle Weise entstanden sind.

Neptun

Neptun hat mit der Haltung zu tun, mit der das Paar die Illusionen und Projektionen, wie sie in der Phase der Verliebtheit geschehen, zu bewältigen vermag. Steht Neptun im Composit sehr stark, kann das bedeuten, dass die Partnerschaft mehr auf illusorischen Projektionen beruht als auf realen Voraussetzungen. Auf karmischer Ebene verweist Neptun, wenn er schlecht gestellt ist, auf Schwindel, Täuschungen und Betrügereien, die einer der beiden Partner in einem vergangenen Leben verübt hat. Das verleiht der Beziehung nunmehr eine Note unterschwelligen Misstrauens. Hingabe ist in gewisser Weise problematisch. Dem Partner einfach Glauben zu schenken, ist schwierig. Neptun im Composit führt außerdem unter Umständen dazu, die Risiken, die das Zusammenleben bringen kann, nicht ernst zu nehmen. Ist man zusammen, so hofft man stets auf ein entschlossenes Eingreifen des Partners, damit eine schwierige Situation bewältigt wird. Wenn beide Partner sich dann des Spiels der Projektionen und der oft unmöglich zu erfüllenden Erwartungen bewusst werden, kann das oft nur scheinbare Gleichgewicht der Beziehung so durcheinander geraten, dass eine Partnerkrise sowohl psychischer wie ganz praktischer Art aufbricht.

Neptun kann dazu führen, dass man falsche Sicherheiten entlarvt. Dann erlebt das Paar unversehens die Einsamkeit innerhalb der Beziehung. Die beiden haben das Gefühl, dass sie zwei ganz unterschiedliche Sprachen sprechen. Normalerweise freilich bringt Neptun, wie alle Planeten sonst auch, eine magische Dimension innerhalb der Partnerschaft zum Klingen, vor allem, wenn er gut gestellt ist. Diese Magie, diese Poesie Neptuns, mildert alle Härten, die in einer Begegnung auch auf emotionaler und spiritueller Ebene eine Rolle spielen können.

Pluto

Pluto gibt Auskunft darüber, wie das Paar seine Herrschaftsverhältnisse ordnet, wie es die Machtfrage handhabt. Pluto kann auch auf die Obsessionen, die Zwangsvorstellungen verweisen, die die Partner in der Begegnung mit dem jeweils anderen haben. Um dies zu erschließen, muss auch die Stellung von Uranus beachtet werden, auch wenn Uranus eher mit denjenigen Obsessionen zu tun hat, die nicht hinderlich oder ängstigend sind. Die auf Pluto bezogenen Obsessionen können ihre Wurzeln in Zwangsverhalten bzw. in schädigendem Verhalten des jeweiligen Gegenübers in früheren Leben haben. Mit Pluto betrachtet man auch die sexuellen Vorlieben des Paares und die Art und Weise, wie diese Vorlieben sich auswirken und wie sie gelebt werden. Aus karmischer Sicht kann Pluto uns Informationen über die Art geben, wie sich die beiden Partner in der Vergangenheit geliebt haben und wie viel Freiraum, wie viel Vertrauen, wie viel Respekt sie sich gegenseitig geben konnten. Ein gespannt gestellter Pluto kann auf eine frühere Beziehung deuten, in der sich einer der beiden Partner nicht wirklich frei gefühlt hat, seine eigene Gefühlswelt zum Ausdruck zu bringen. Das beeinflusst auch jetzt noch die Beziehung – man maskiert sich möglicherweise, man teilt nicht diejenigen intensiven Erfahrungen miteinander, die geeignet sind, Abhängigkeit oder zeitweilige Nachteile vom Partner mit sich zu bringen. Pluto gibt aber auch Hinweise darauf, wie das Paar den Unterschied der einzelnen Denkweisen meistert, welche Kompromisse das Paar schließen kann, um solche Unterschiede auszuhalten und daran zu wachsen – und welche großen persönlichen Verzichtsleistungen die Partner um des gemeinsamen Wohlergehens willen erbringen können.

Lilith

Lilith steht für die Geheimnisse des Paares, aber auch für das, was das Paar ablehnt. Lilith hat mit denjenigen Dingen zu tun, bei denen das Paar starken Gegendruck ausübt, wo es die Maßstäbe nicht akzeptiert, die von irgendeinem Gott gewollt sind, von der Gesellschaft oder aufgrund eines bestimmten Verhaltensmusters. Lilith symbolisiert im Composit die Seite der Partnerschaft, wo sich das Paar größtmögliche Unabhängigkeit nimmt. Aus karmischer Sicht kann Lilith auch auf die Zurückweisungen hindeuten, die die beiden Personen in vergangenen Leben erfahren haben, sei es als Einzelne, sei es als Paar. Und damit deutet Lilith auch die Schwierigkeiten an, die das Paar hatte, die Beziehung zu leben. Gespannte Aspekte zu Lilith können Gewalt andeuten, vor allem in sexueller Hinsicht, ebenso seelische Grausamkeit vonseiten eines der Partner. Auferlegte Zwänge haben vielleicht Groll hervorgerufen, sodass sich bei den allerersten Begegnungen die beiden Partner geradezu unerträglich finden können. Sie verspüren Abscheu oder werden innerlich aggressiv, wenn sie dem anderen begegnen. Aber zugleich fühlen sie eine tiefe und unausweichliche Anziehung. Manchmal gerät dieser starke Hass, wenn heftige Spannungen angezeigt sind, zu einem mächtigen Druck auf das Zusammensein, weil sich ein altes Gefühl der Rache, des Wunsches nach Schadensersatz bemerkbar macht. Die harmonischen Aspekte hingegen begünstigen eine wunderbare erotische Intimität, eine Fähigkeit, in der Beziehung ganz bei sich selbst zu bleiben.

Chiron

Chiron verweist auf die gemeinsamen Lernerfahrungen in vergangenen Leben. Wenn er dominant steht oder viele Aspekte bildet, kann für frühere Leben eine Lehrer-Schüler-Beziehung mit zusätzlicher emotionaler oder erotischer Qualität angezeigt sein. Heute darf diese zusätzliche Qualität offen und gelassen ausgelebt werden. Chiron ist der »Therapeut« des Paares, die Energiequelle, die das Paar in Zeiten der Krise, oder wenn die Beziehung in einer Sackgasse steckt, anzapfen kann. Der letztgenannte Fall ist für die Harmonie und die Festigkeit einer Partnerschaft die weitaus größte Bedrohung. Chiron weist auch auf die Möglichkeit hin, dass das Paar eventuell frühere Existenzen in einer esoterischen oder religiösen Gruppe verbracht hat. Hier war die emotionale Seite der Beziehung sehr verdeckt. Im gegenwärtigen Leben will das Paar jedoch konkret und klar seine Beziehung leben.

Mondknotenachse

Der aufsteigende Mondknoten hat keinen karmischen Bezug zu früheren Existenzen, er bezieht sich vielmehr auf die Zukunft des Paars. Der aufsteigende Mondknoten gibt Informationen über die ganz grundsätzliche Bedeutung der Partnerschaft, über das Warum der Begegnung, über das, was die Partner von der Beziehung wollen und welches ihre Ausrichtung als Paar ist. Der nördliche Mondknoten ist die Dimension der Entwicklung, der Zielpunkt, der Zweck der Vereinigung als Paar. Er erklärt das Motiv und die Absicht, weshalb sich die beiden Personen begegnet oder wiederbegegnet sind und inwieweit diese Begegnung zu einem Abschluss gebracht werden kann. Üblicherweise geben Haus und Zeichen, in denen der nördliche Knoten steht, die Art der Absicht und den Lebensschwerpunkt an, wo das Paar die Wirkung des nördlichen Monknotens wahrnehmen und die mit ihm verknüpfte Aufgabe erfüllen kann.

Der südliche Mondknoten verweist auf die Vergangenheit der Beziehung. Dabei darf man aber nicht nur an die Vergangenheit aus früheren Existenzen denken, es geht auch um die Vergangenheit im gegenwärtigen Leben. Der südliche Knoten kann Hinweise geben, woher, wie und warum sich das Paar begegnet ist und eine Beziehung aufgebaut hat. Er kann ebenso einen klaren Blick auf den kulturellen, gefühlsmäßigen und seelischen Hintergrund geben, auf dem die Partner in früheren wie im jetzigen Leben ihre Partnerschaft leben bzw. lebten. Entscheidend sind freilich auf karmischer Ebene die Informationen, die der südliche Knoten über das gibt, was die Partner in der Vergangenheit miteinander verbunden hat, die besonderen Erfahrungen, die gemeinsam gemacht wurden, und vor allem die karmische Schuld, die die beiden gegenseitig angesammelt haben und die sie in der jetzigen Existenz ausgleichen möchten. Das Haus, in dem der südliche Mondknoten steht, zeigt die Tätigkeits- und Interessensphäre an, in der das Paar diesbezüglich die Hauptarbeit leisten muss. Die Planeten, die Aspekte zum südlichen Mondknoten bilden, können ein Licht auf die Art der Schuld werfen. Die Lösung dieser Probleme ergibt sich natürlich stets aus einer gemeinsamen Arbeit, die im gänzlichen Einklang mit dem nördlichen Mondknoten steht. Dieser aktiviert und unterstützt diejenigen Energien, die karmischen Wandlungs- und Entwicklungsprozess in Gang halten.

Die Geschichte

Der Flughafen von Mailand im Jahr 1979. Sara arbeitet wie jeden Tag am Check-In. Und wie jeden Tag sieht sie Tausende von Leuten, an die sie nicht einmal ein Lächeln verschwendet. Sie ist begeistert von ihrer neuen Arbeit. Im Flughafen arbeitet auch Angelo, dem Sarah schon einige Tage zuvor aufgefallen ist. Er entschließt sich, sie zu einem Kaffee einzuladen. Sara ist sofort angerührt von Angelos schönen blauen Augen und von seinem offenen, herzlichen Lachen. Zwei Tage später gibt es eine Einladung zum Eis in einer anderen Stadt. Sara wird sich dessen bewusst, dass dieser unbekannte Mann sie anzieht. Sie verbringen Stunden auf den Stufen vor einer Kirche und reden. Am Ende geben sie sich einen Kuss. Dann sehen sie sich nicht mehr, Angelo scheint sich in Luft aufgelöst zu haben. Zwei Jahre später klingelt das Telefon bei Sara. Angelo fragt, ob er sie sehen könne. Sara ist glücklich und neugierig. Doch aufgrund einer Serie akuter Hindernisse können sie sich erst zwei

Wochen später treffen. Beide sind sehr bewegt, und erst jetzt beginnt die eigentliche Geschichte. Er bezeichnet ihre Beziehung als vergnüglich, zeitweise dahinschmelzend, aber stets leicht wie eine Feder. Sara empfindet es fast genauso, obwohl sie wegen Angelos Arbeit genötigt ist, vom einen zum anderen Ende Italiens zu fahren, um ihn zu treffen: trotz ungünstiger Witterung, schwieriger organisatorischer Probleme und ungeachtet ihrer ungünstigen Arbeitsbedingungen. Oft treffen sie sich am Flughafen, denn Angelo ist wegen seiner Tätigkeit oft unterwegs. Saras Bemerkung hierzu: »Wenn er landet, fange ich an zu fliegen.« Sara ist dann da, um ihn zu erwarten. Sie ist es, die ihr Leben auf die Zeiten hin einrichtet, wann Angelo frei ist, wenngleich jedes Treffen für beide großen Reiseaufwand bedeutet und sie es entsprechend intensiv gestalten.

Sara erlebt in der Beziehung zu Angelo einen starken geistigen Impuls. Da ist ein Mann, der ohne Vorbehalte an sie und ihre Fähigkeiten glaubt. Aufgrund seiner Anregungen beginnt sie ein Studium und macht Examen.

Nach drei Jahren gerät ein kleines Körnchen Sand in dieses perfekte Getriebe. Sara fängt an, Fragen an die Beziehung zu stellen. Zwischen ihnen ist ein Altersunterschied von 15 Jahren. Angelo ist verheiratet und möchte sich nicht scheiden lassen. Überdies wird in Sara der Wunsch nach einer »normaleren« Beziehung wach, vielleicht mit jemandem, der in etwa gleichaltrig ist. Aber was sie auch an Beziehungen mit Männern ihres Lebensalters ausprobiert, das Ende ist immer gleich enttäuschend – sie fühlt sich von diesen Männern nicht angezogen. Sie findet, dass Angelos Leben wunderbar eingerichtet ist, während sie ihr eigenes als verfehlt empfindet. Sara geht auf die Flucht. Aber Angelo spürt sie immer wieder auf. Es scheint für die beiden unmöglich, sich zu trennen, sich aus den Augen zu verlieren. Endlich beschließt Sara, eine Reise zu machen, auch um Klarheit zu gewinnen. In der Reisegruppe lernt sie Ettore kennen, einen schönen jungen Mann, noch ungebunden, mit klaren Perspektiven und in der Lage, ihr ein »normales Leben« zu garantieren. So beginnt die Geschichte zwischen Sara und Ettore. Sara freilich trägt Angelo noch immer in ihrem Herzen. Er ist und bleibt ihre große Liebe. Aber angesichts der Gegebenheiten möchte sie nicht länger den Don Quijote spielen. Unter Ettores Einfluss be-

schließt sie, die Beziehung zu Angelo zu beenden. Dieser wird zwar vor Schmerz halb verrückt, aber er gibt sich keineswegs geschlagen. Je schlimmer Sara ihn behandelt, desto mehr bindet Angelo sich an sie. Eines Tages fragt Sara ihn, wie er ihre Bosheit nur aushalten könne. Und Angelo antwortet: »Weil ich dich liebe, du bist unzerstörbar, ich kann dich nicht verlieren.« Regelmäßig alle zwei bis drei Monate ruft Angelo bei ihr an und er beweist eine übermenschliche Geduld, dieselbe, die Sara während der gemeinsamen Jahre hatte. Es ist die Geduld, die nur in einer großen Liebe möglich ist.

Sechs Jahre vergehen. London am Flughafen: Sara ist in London, um für ihre Examensarbeit Forschungen zu betreiben. Außerdem steckt ihre Partnerschaft mit Ettore in einer Krise. Angelo ist wegen seiner Arbeit in London. Zufällig treffen sich die beiden. Und sogleich nehmen sie ihre Beziehung wieder auf. Tagsüber verlieren sie sich zwischen Bergen von Büchern, nachts lieben sie sich leidenschaftlich. Die Heimkehr ist für Sara schwierig und voller Mühsal. Ihr wäre am liebsten, wenn alle Probleme gelöst wären. Weitere drei Jahre vergehen. Sara ist noch immer mit Ettore zusammen, aber in ihrem Leben ist nun auch wieder Angelo. Dann beschließt sie, Ettore zu verlassen und frei zu werden. Sie spürt große Erleichterung, es fühlt sich wie eine Lebenswende an. Aber nach einigen Monaten kehrt sie wegen gemeinsamer Interessen, wegen Schuldgefühlen und aus anderen Gründen zu Ettore zurück. Für Angelo ist das ein harter Schlag. Aber er gibt nicht auf und ruft Sara weiterhin regelmäßig alle zwei, drei Monate an. Weitere drei Jahre vergehen. Sara wechselt die Arbeit, weil sie ihr Leben ändern möchte, insbesondere das Zusammenleben mit Ettore. Angelo ahnt womöglich etwas davon und bittet Sara um ein Treffen. Sie bleibt jedoch hart und bittet Angelo, die Beziehung ganz zu beenden, weil sie ernsthaft die Bindung zu Ettore wiederherstellen möchte. Angelo zieht sich zurück, die beiden hören nicht mehr voneinander. Nach einigen Monaten aber beendet Sara definitiv die Partnerschaft mit Ettore. Die Gefühle, die die beiden noch aneinander gebunden haben, sind endgültig erschöpft.

Mai 1999. Sara kommt von einem Wochenendausflug mit Freunden zurück. Sie hört den Anrufbeantworter ab. Eine Botschaft mit vertrauter Stimme: »Guten Abend!« Es ist Angelo!

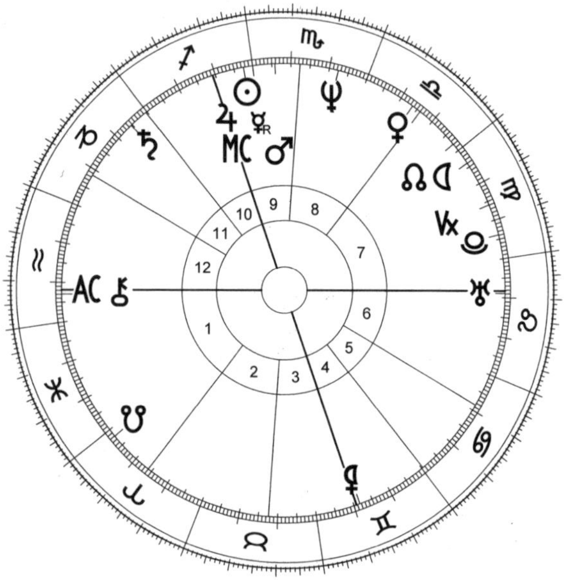

Abb. 2: Sara (Ehepunkt 27° Schütze)

Beginnen wir mit einer Analyse der Synastrie. Wir sehen sofort, dass der Vertex von Sara mit dem Jupiter von Angelo in Konjunktion steht. Angelos Vertex bildet umgekehrt eine Konjunktion mit Saras Saturn. Schon diese Aspektverbindungen geben uns einen ersten und schon recht sicheren Hinweis darauf, dass es sich bei dieser Beziehung sehr wahrscheinlich um eine karmische Verbindung handelt, die ihren Anfang in einem vergangenen Leben genommen hat. Es sieht so aus, als habe Sara – wenigstens zu Beginn der jetzigen Beziehung – die Rolle des wacheren, flexibleren Partners gewählt, nachdem sie sich in früheren Leben aus der Verantwortung zurückgezogen oder sich keine Gedanken um gemeinsame Pflichten gemacht hat. Beide Partner platzieren ihren Saturn im 5. Haus des jeweils anderen. Außerdem stehen die beiden Saturn-Positionen in Opposition zueinander. Dieser wechselseitige Interaspekt bringt beide dazu, ein bedenkliches Spiel mit Emotionen zu betreiben. Beide spüren einen Mangel an emotionaler Sicherheit, auch wenn es sich um eine tief gefühlte Seelenbindung handelt.

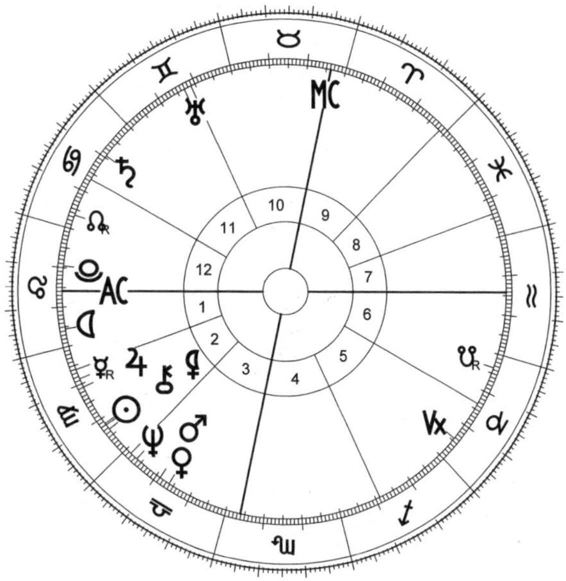

Abb. 3: Angelo (Ehepunkt 18° Schütze)

Seine Sonne in Konjunktion mit ihrem Mond, die beiden Venus-Positionen eng beieinander, ihre Sonne im Sextil zu seinem Neptun. Diese Bindung soll möglicherweise im jetzigen Leben noch einmal aufgenommen werden, damit ihre Probleme gelöst oder damit die Bindung als solche transformiert wird – Uranus von Sara in Konjunktion mit Aszendent und Mond von Angelo.

Das Composit zeigt freilich ein starkes, festes Band zwischen den beiden. Manches dabei scheint zwanghaft zu sein – Aszendent in Stier, Sonne mit Jupiter in Konjunktion im 6. Haus. Das kann auf einer starken physischen oder geistigen Anziehung beruhen (Merkur, Venus und Jupiter in Waage, Venus außerdem im 5. Haus). Diese Anziehung ist freilich zeitweise enttäuschend, ist nie gänzlich ausreichend, nie wirklich befriedigend (Saturn in Waage und im 5. Haus). Den Partnern fällt es schwer, sich gegenseitig Sicherheit zu geben – Uranus im 2. Haus im Quadrat mit Merkur, Venus und Neptun. Pluto und aufsteigender Mondknoten an der Spitze des 4. Hauses verweisen auf den karmischen Gehalt dieser

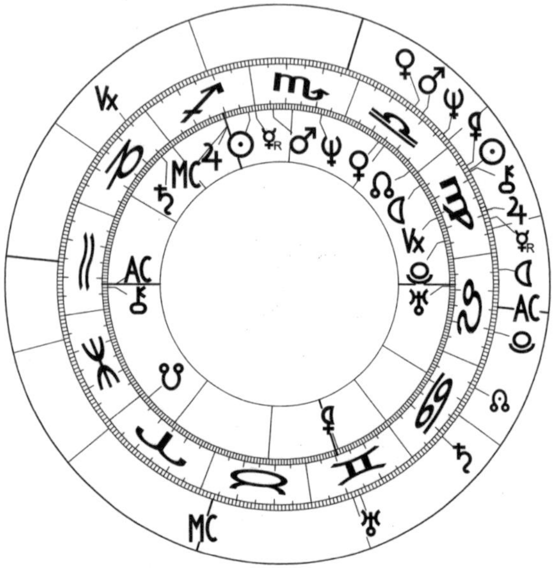

Abb. 4: Synastrie Sara (innen) und Angelo (außen)

Partnerschaft: Beide Partner sind stark aneinander gebunden, trotz wiederholter Zurückweisungen, wechselseitiger Prüfungen, gegenseitiger Bestrafungen und nicht zuletzt trotz einiger tiefer Brüche. Diese Positionen am Imum Coeli des Composits können ein Gefühl tiefer Vertrautheit schaffen, das sich schwerlich abtöten lässt. Die aggressiven, racheorientierten Anteile der Bindung lassen sich auf den Skorpion-Mars im Quadrat zu Lilith zurückführen. Der Wechsel zwischen Brüchen und Versöhnungen dürfte sich mit dem Quadrat zwischen Venus und Uranus und der (weiten) Konjunktion von Venus und Saturn erklären lassen. Die Venus-Saturn-Verbindung mag zur Ausbildung eines merkwürdigen gemeinsamen Musters führen: »Mit dir geht es mir schlecht, aber ohne dich ebenfalls!« Die Beziehung erscheint gleichsam doppelbödig, ambivalent und damit gefährdet. Dies zeigt sich auch an der Konjunktion von Jupiter und Neptun in Waage im 6. Haus: Es ist kaum möglich, miteinander zu wachsen und sich zu entwickeln. Die Stellung des nördlichen Mondknotens deutet an, dass Sara und

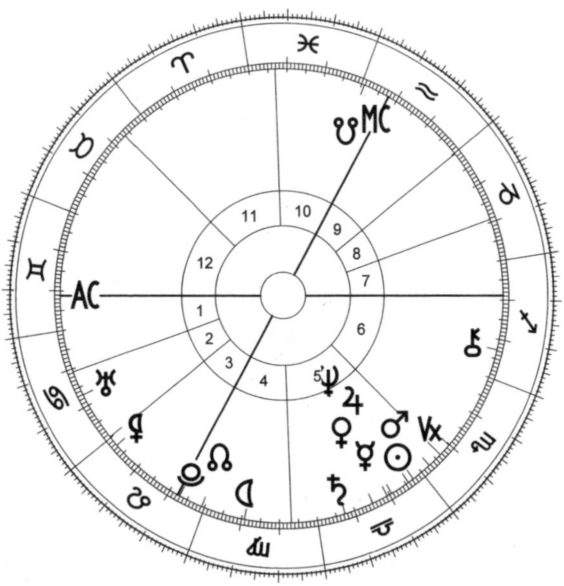

Abb. 5: Composit Sara und Angelo

Angelo, wenn sie das wünschen und vor allem an ihrem Selbst als Paar arbeiten *wollen*, durchaus eine Familie gründen könnten, in der sie Sicherheit finden und sich wohlfühlen könnten. Das freilich wäre ein Wagnis, das die Überwindung rein verstandesmäßig gesteuerter Gefühle (Mond in Jungfrau) zur Voraussetzung hätte. Beide müssten mehr Vertrauen zum Partner aufbringen – trotz der Vergangenheit, die beide nur schwer vergessen und noch schwerer akzeptieren können (Mond im 4. Haus).

4.
Die Entwicklung der Partnerschaft und das persönliche Wachstum der Partner

Sich zu verlieben ist immer eine außergewöhnliche Erfahrung.
Wenn man sich in jemanden verliebt, so wird dieser zur Obsession.
Ian McEwan

Diejenigen, die nicht gleichermaßen zu einem anderen
wie zu sich selbst gehören, können niemals verlassen werden.
David Leavitt

Jede Beziehung hat ihr Entwicklungspotenzial. Die schlichte Erfahrung, dass man sich ineinander verliebt, aber auch das Zusammensein mit einer Person, die wir lieben, ist an und für sich eine echte karmische, existenzielle Herausforderung. Jede Bindung, die damit begann, dass zwei sich ineinander verliebten, hat eine entwicklungsbezogene Seite in sich. Denn die Begegnung mit dem anderen drängt unausweichlich dazu, mit all dem, was in uns ruht, bewusst in Kontakt zu kommen: mit der besonderen Weise, in der wir fühlen und eine Beziehung gestalten, wie wir diese Fähigkeit je nachdem verändern oder in ihrer Eigenart verfestigen.

Bei allen Erfahrungen gibt es jedoch einen Anfang und ein Ende, einen Zeitraum, in dem die vorhandenen Möglichkeiten erlebt werden. Diese Erfahrungen werden dann vorerst abgeschlossen, wir ziehen daraus das, was wir für unser Verständnis und unser Wachstum benötigen. Auch die Erfahrungen, die wir bei Gefühlsbeziehungen machen, folgen diesem Muster. Ob die Dauer der Erfahrung ein ganzes Leben beträgt oder nur eine einzige Woche, kann man kaum vorher wissen. Aber wir wissen sicher, dass der Verlauf und das Ende der Beziehung zu unserem Entwicklungsweg dazugehören.

Manchmal brauchen wir freilich heftige, durchrüttelnde Erfahrungen, um zu wachsen. Sie sollen unsere Spiritualität, unsere Gefühle aus ihrem tiefen Schlaf aufwecken. Die Erfahrung, dass eine Liebe zerbricht, kann sich außerordentlich gut dafür eignen, einen neuen Entwurf für das eigene Leben zu schaffen und nach einem größeren Einklang mit dem persönlichen »Lebensprojekt« zu suchen.

Auch wenn wir bis ins Letzte prüfen, warum eine Gefühlsbeziehung unverhofft zu Ende geht, bleibt sehr oft ein unerklärbarer Rest. Einer der beiden Partner beschließt, offenkundig überraschend und sinnlos, einen ganz anderen Weg als bisher einzuschlagen. Ihn ziehen gewissermaßen fremde Klänge und fremde Farben an, er wird von diesen mitgerissen, er beschließt, einen Schnitt zu machen und genau das aufzugeben, was ihm in der Vergangenheit das Wachstum möglich gemacht und an das er geglaubt hat.

Der Mythos der ewigen Liebe zerbricht in diesem Moment. Das, was bis dahin scheinbar nur den anderen passieren konnte oder musste, geschieht nun dem Paar selbst. Aber kommt wirklich alles so unverhofft, oder war bereits, wenngleich unbewusst, bei den Partnern ein Prozess der Trennung im Gang?

Generell sind Träume gute, zuverlässige Indikatoren für das, was unbewusst gerade passiert. In ihrer Sprache machen Träume, manchmal doppeldeutig und manch anderes Mal klar und präzise, wie auf einer Kinoleinwand dasjenige sichtbar, was unsere Seele auf bewusster Ebene zurückweist. Der Inhalt solcher Träume kann einem archetypischen Handlungsverlauf folgen. Der Partner, der dabei ist, uns zu verlassen, kann in solchen Träumen als jemand erscheinen, dem ein Teil des Körpers fehlt. Oder es ist aufgrund unseres Blickwinkels im Traum mühsam, ihn in seiner Ganzheit zu erkennen. Es kann sein, dass der Partner im Traum in einem Auto sitzt, und uns gelingt es nicht, sein Gesicht zu erkennen. Oder er wendet uns den Rücken zu, und wir können ihn nicht dazu bringen, sich umzudrehen. Wenn wir dann morgens erwachen, spüren wir ein Gefühl der Bedrängnis, der Angst. Ein Gewicht scheint an uns zu hängen, das eine Muskelverspannung im Rücken oder am Genick erzeugt. Wir haben ein seltsames Gefühl des Unwohlseins, ohne dass wir dieses Gefühl genau beschreiben könnten und vor allem ohne dass wir angeben könnten, woher es rührt.

Wenn freilich eine Liebe endet, so ist das niemals bloß ein Zufall.

Die »Schuld«, wenn denn von Schuld die Rede sein muss, lässt sich niemals nur einem einzigen Partner zurechnen. Es gäbe keinen Folterknecht, wenn es nicht auch ein Opfer gäbe, das bereit ist, sich martern zu lassen, abgesehen davon, dass auch das Opfer selbst Aggressor sein kann. Es kommt kaum vor, dass eine Beziehung für beide Partner gleichzeitig erschöpft ist. Das ist das eigentliche Problem. Es braucht Zeit, um zu verstehen, um zu fühlen, dass die Beziehung zu Ende geht.

Auf karmischer Ebene gesprochen: Wenn eine Liebesgeschichte begonnen hat, um das ganze Leben zweier Menschen zu erfüllen, setzen die möglichen Unzufriedenheiten und Krisen, die aus dem Bedürfnis nach Freiheit, aus dem Wunsch nach einem Experiment herrühren, niemals die Verbindung selbst aufs Spiel. Krisen geben der Beziehung im Gegenteil die Gelegenheit zum Wachstum, zur Entwicklung. Beide Partner können sich so gleichzeitig entwickeln und vielleicht auch ihr Miteinander in späteren Leben, freilich auf anderen und höheren Ebenen, fortsetzen. Wenn es hingegen zum Bruch in einer Beziehung kommt, so gibt es stets Gründe dafür, die wir auf verschiedenen Ebenen aufspüren können. Sie rechtfertigen zum Teil diese Gefühlsmischung aus Wut, Hass, Ohnmacht, Verzweiflung, Liebe und enttäuschtem Verlangen, wieder zusammenzufinden. Und zum Teil helfen uns diese Gründe dabei, diese ganze Mischung in etwas zu verwandeln, was für uns die Gelegenheit sein kann, sich auf spiritueller Ebene weiterzuentwickeln.

Eine Beziehung sollte nie in womöglich noch Jahre währenden Gefühlen von Hass und Rache beendet werden. Das würde eine Anhäufung von Karma bedeuten, dessen Auswirkungen im nächsten oder aber auch im gegenwärtigen Leben zum Ausdruck kämen, etwa als Somatisierung, als Unfähigkeit zu neuen Beziehungen, als Depression oder als ganz allgemein destruktives Gefühl in der Bewältigung des eigenen Lebens.

Wenn eine Liebe endet, gibt es stets eine Ursache, die jenseits einer psychologischen Ebene auch karmisch ist. Wenn ich mich entschließe, eine Bindung aufzuheben, dann ist in mir etwas zur Reifung gekommen, das nicht nur banale psychische Gründe hat – Langeweile, unerträgliche Routine, neue Liebschaft. Denn diese Gründe wird es voraussichtlich auch in möglichen neuen Verbindungen geben. Ich vermute, dass es sich bei der Aufhebung einer Beziehung häufig zugleich um das Ende einer Erfahrung auf dem persönlichen Entwicklungsweg handelt. Diese Erfahrung hat uns ihre Früchte geschenkt. Und nun bedarf es eines neuen Samens auf einem Feld, das die zugehörige Pflanze noch nicht kennt.

Dieses derart unbestellte Feld freilich sollte von beiden Partnern gesehen werden. Denn beide haben die gemeinsame Erfahrung ausgeschöpft, die sie mit Beginn der gegenwärtigen Inkarnation gewählt haben. Das gilt auch, wenn auf seelischer Ebene einer der beiden Partner Mühe hat, das Warum des Endes zu begreifen, und nicht einsieht, dass jetzt der rechte Moment zur Trennung gekommen ist. Das ist mit dem Problem des Faktors Zeit gemeint. Es handelt sich um jene subjektive, seelische Zeit, die nur selten für beide Partner identisch ist. Der deutlichste Beweis für diese unterschiedliche Wahrnehmung ist, dass der verlassene Partner zwar um das Ende der gemeinsamen Geschichte weiß, dass er aber diese Geschichte als einzige Möglichkeit betrachtet, um ins Leben zurückzufinden.

Darum ist es absolut nötig, die unvermeidlichen Anfangsgefühle von Schmerz und Leid zu verwandeln. Diese Gefühle hat jeder, ob er nun der im Stich Gelassene ist oder ob er selbst den Partner verlässt. Es gilt, auch weiterhin, das Leben mit dem anderen fortzusetzen, wenngleich in neuen Rollen. Es ist wichtig, dass die Intimität, das Gefühl, miteinander verwoben zu sein, die Fähigkeit zur telepathischen Verbindung nie verloren geht. Es handelt sich schließlich um jemanden, den wir geliebt haben und den zu lieben wir fortfahren. Das mag nun auf andere, vielleicht sogar tiefere Weise geschehen, vielleicht weil nun jener Besitzanspruch wegfällt, jene Gefühle von Eifersucht und Manipulation, die in einer emotionalen Beziehung aufkommen. Natürlich ist das alles kaum möglich, wenn es in der Beziehung zerstörerische Tendenzen gibt und wenn einer der beiden Partner sich genötigt sieht, die Beziehung um der eigenen körperlichen und seelischen Unversehrtheit willen zu beenden.

Eine Beziehung drastisch zu beenden, indem man Hass und Wut, Rachegefühle und Zerstörung nährt, führt unvermeidlich dazu, dass weit eher ein Band gebildet statt gelöst wird. Auf spiritueller

Ebene führt ein solcher Bruch für die eigene seelische und spirituelle Entwicklung zu einem Stillstand oder zu einem gefährlichen Rückschritt. Wird dies nicht im Lauf der Zeit erkannt und offen betrachtet, so verurteilt man sich zu einem unbefriedigenden Leben, in dem Freude und Lebenslust Tag für Tag weniger werden.

Die wahre Liebe ist diejenige, der es gelingt, sich zu verwandeln – sei es innerhalb, sei es außerhalb der Paarbeziehung. Aus einem bestimmten Blickwinkel sollte das Ende einer Liebe dazu führen, dass sich der Eros als egozentrische und von Interessen bestimmte Liebe zur Agape entwickelt, der wahren, aufrichtigen, absichtslosen, mitfühlenden Liebe. Natürlich gilt eine solche Weiterentwicklung ebenso für Paare, die ihre Beziehungserfahrungen miteinander fortsetzen und die im Zusammenleben den fruchtbaren Boden finden, auf dem ihre Entwicklung gedeiht.

Gewiss ist eine solche Verwandlung der Liebe nicht einfach. Sie erfordert vor allem die Fähigkeit, nach innen zu schauen und die eigenen Irrwege zu erkennen. Darüber hinaus muss man sich auch bewusst der Situation aussetzen, muss die ersten Augenblicke überwinden, in denen das Gemisch aus Wut, aus Enttäuschung des Verlassenen bzw. Freiheitsbedürfnis dessen, der verlässt, sowie aus Schuldgefühlen alles durchtränkt. Aber Innenschau und Einsicht werden nur dann möglich, wenn diese Gefühle ausgelebt, aufrichtig akzeptiert und vor allem gründlich reflektiert werden.

Es gibt freilich einen Zeitabschnitt gleich nach dem Ende einer Beziehung, wo man das Gefühl hat, denjenigen, den man geliebt hat – und den man vielleicht noch immer liebt –, überall wiederzusehen. Manchmal handelt es sich lediglich um Empfindungen. Unbedeutende Einzelheiten scheinen auf den Expartner zu verweisen. Alles, was auf ihn hindeutet, aktiviert eine Vielzahl von Gefühlen und Erinnerungen. Man nimmt in einer seltsamen Unmittelbarkeit Gerüche, Düfte wahr, die an den Geliebten erinnern. Aus einem Stimmengewirr heraus glaubt man den Klang seiner Stimme zu erkennen. Liest man die Zeitung und läuft gleichzeitig das Radio, scheint dauernd der Name des Geliebten genannt zu werden.

Diese Erfahrung ist ziemlich normal und vielleicht physiologisch auch zur Heilung nötig, um sich dem eigenen Ich in seiner Ganzheit wieder anzunähern: Indem man eben den Weg, der zuvor zum

Wir geführt hatte, in umgekehrter Richtung geht. Wenn dieser Zustand freilich andauert, bekommt er pathologische Züge. Wir können von einer Liebe sprechen, die Fesseln anlegt. Für manche endet eine Partnerschaft nie. Sie können nicht akzeptieren, dass sich Lebenswege in unterschiedliche Richtungen entwickeln. Also setzen sie die Beziehung auf symbolischer Ebene fort. Und so weisen sie gewissermaßen aufgrund einer Halluzination und oft genug gänzlich unbewusst alles zurück, was sie dazu führen könnte, ihrem Problem ins Auge zu sehen.

Diese merkwürdige Verwunschenheit in der Liebe zeigt sich immer dann, wenn eine Beziehung endet. Aber der Zauber dauert nur so lange wie Zeit nötig ist, das eigene Ich wieder aufzubauen, das in der Beziehung einen Teil seiner Autonomie verloren hatte. Solche Verwunschenheit in der Liebe darf als Verteidigung der Liebe betrachtet werden. Sie ist, freilich mit unterschiedlichen Beweggründen, sowohl bei dem Verlassenen als auch bei dem, der sich trennt, vorhanden. Banale Sätze wie »Jetzt, da ich meine Freiheit wieder erlangt habe, denke ich überhaupt nicht daran, eine neue Beziehung einzugehen«, oder »Das war die einzige Person, von der ich mich wahrhaft geliebt fühlte, und ich werde nie wieder etwas Ähnliches erleben«, sind nichts anderes als seelische Selbstblockaden, die man aufrichtet, um nicht länger aus Liebe leiden zu müssen. Damit werden Emotionen, wird das Gefühlsleben auf Eis gelegt. Man bildet so ein Energiefeld, das mögliche Partner davon abhält, Kontakt zu suchen – auch wenn die erste Phase der Untröstlichkeit, wenn die Gefühlssperren hinter einem liegen und man sich, wenigstens verbal, aufs Neue zu einer Beziehung bereit erklärt.

Aus karmischer Perspektive kann all dies geschehen, weil solche Erfahrungen uns dazu nötigen, alte Beziehungsmuster, die wir in vergangenen Existenzen ausgebildet haben und die uns auch heute noch konditionieren, zu überprüfen. In gewisser Hinsicht gilt, dass wir nie aus diesem blinden, gleichsam mechanischen Zirkel zwanghafter Gefühlsentscheidungen herauskommen, wenn wir nicht einen Partner finden, der uns die Erfahrung einer »Liebe, welche Fesseln anlegt« machen lässt. Denn diese zwanghaften Gefühlsentscheidungen beruhen auf einem Muster, das uns in der Vergangenheit wie im gegenwärtigen Leben emotional hat leiden lassen und das uns oft genug enttäuschende Partnerschaften beschert hat. Der Partner, der uns dazu geführt hat, eine »Liebe in Fesseln« zu erleben, ist das Mittel, das das Schicksal für uns bereithält, damit wir schließlich die Nutzlosigkeit und Gefährlichkeit eines nur oberflächlich beruhigenden Gefühls- und Beziehungsmodells begreifen – und so überwinden können.

Dass wir zeitweise unsere Gefühle auf Eis legen, kann uns dabei helfen, unsere Beziehungswelt zu beobachten. Wir erfahren so, was wir wirklich wollen. Wir klären unsere emotionalen Ziele. Und wenn wir ernsthaft an uns arbeiten, erreichen wir grundsätzliche Selbstbestimmtheit, um uns reifen Beziehungen zu öffnen und nach einer Liebe zu streben, die nicht mehr pathologisch, sondern tief und erwachsen ist sowie weiteres Wachstum möglich macht.

Tatsächlich finden viele Menschen, die von ihrem Partner verlassen worden sind, genau dann aus der durch die Trennung verursachten Lähmung heraus, wenn sie ihr Herz auf Eis legen. Sie können den Schock überwinden, indem sie langsam und Schritt für Schritt die Liebe zu sich selbst wiederfinden. Und damit verwandeln sie auch die Gefühle von Wut und Enttäuschung gegenüber dem Partner in Gelassenheit und Wärme. So können sie das Gespräch wieder aufnehmen, auch auf anderen Ebenen und unter anderen Motiven als denen, die zuvor die Beziehung ausgemacht haben. Dies ist eine der wichtigsten karmischen bzw. existenziellen Herausforderungen in unserem Leben. Eine gelassene Haltung erwächst aus der Fähigkeit, Gefühle des Grolls loszulassen und die eigenen Emotionen zu verwandeln.

Das Leid, das aus dem Ende einer Beziehung erwächst, ist in der Tat grausam, vor allem, wenn man das ganze Leben auf den zuvor Geliebten ausgerichtet hat. Aber all das rechtfertigt nicht den Partnerkrieg. Liebe und Besitz unterscheiden sich schließlich. Es ist freilich schwer, sich rein vom Kopf her auf solche Trennung einzulassen. Und es ist außerdem schwer, eine derartige Trennung im Guten für möglich zu halten, wenn das Herz sich in der Bitternis einer sterbenden Partnerschaft findet.

Wir brauchen einfach nur zurückzugehen und vergangene Beziehungen zu betrachten. Wir werden feststellen, dass wir heute nicht mehr an Hass und Rache denken. Im Gegenteil. Als diese Gefühle verschwanden und einer gesunden Eigenliebe Platz machten, einem zärtlichen Gefühl für den nunmehr verflossenen Partner, da trat in unser Leben eine neue Liebe, eine Freude, ein Licht, das unser Wohlbefinden sicherstellen konnte.

Wenn wir tatsächlich an die Wiedergeburt glauben, warum sollten wir dann nicht für möglich halten, dass es in unserem Leben mehrere Beziehungen und Liebesgeschichten geben kann? Ist es möglich, gegen den Tod zu kämpfen? Nein! Also, warum sollte man dann gegen das Ende einer Liebe ankämpfen? Es ist witzlos, gegen eine solche Erfahrung angehen zu wollen. Sie ist, neben allem anderen, nicht zuletzt auch im physiologischen Sinn bedeutsam für unser Leben.

Das wirkliche Wachstum der Persönlichkeit geschieht in der Begegnung mit dem Leben. Dabei kommt es darauf an, Achtsamkeit gegenüber denjenigen Ereignissen zu zeigen, mit denen man konfrontiert wird. Oft scheinen diese Ereignisse geradezu ungerecht zu sein. Freilich, hinter den Ereignissen verbirgt sich durchweg eine karmische Ursache. Sie hilft uns, die Konten der Vergangenheit auszugleichen und darum frei von der Vergangenheit zu werden. Und das bedeutet, dass wir noch eher bereit sind, den Entwicklungsweg unserer jetzigen Existenz zu beschreiten.

Die Transite im Composit-Horoskop: Wachstum in der Partnerbeziehung

Die Analyse der Transite im Composit ist sehr wichtig, vor allem dann, wenn die Deutung auf der psychologischen Ebene geschieht. Natürlich müssen Transite auf der Ereignisebene auch konkretdinglich gedeutet werden. Auf der Sachebene geht es um Erfahrungen, die erlebt und integriert werden müssen. Aber auf der seelischen Ebene verleihen die Transite der jeweiligen Erfahrung, der bestandenen Prüfung immer einen Sinn.

Wir betrachten die Transite von Mars an aufwärts. Die Transite der schnellen Planeten mögen vielleicht mit für ein Ereignis stehen, haben aber auf der seelischen Ebene keinen Einfluss. Das heißt, sie führen nicht zu Veränderungen, die bedeutsam für das Paar sind.

Das gilt auch für den Mars. In seinem etwa zweijährigen Zyklus nimmt er allerdings besonderen Einfluss auf die seelische Basis des Paares. Er hat ein bestimmtes Amt. Seine Energie macht, dass man aufmerksam wird, bereit, seinen Impulsen zu lauschen.

Wir können insofern sagen, dass die eigentlich wirksamen Transitplaneten im Composit diejenigen sind, die von Jupiter an aufwärts bis zum Pluto reichen. Auch Chiron und die Mondknoten rechnen wir zu diesen Transitplaneten. Chiron und die Knoten üben einschneidenden Einfluss auf karmischer Ebene aus. Sie verweisen auf die Lektionen, die es zu lernen gilt, wenn es um die spirituelle Entwicklung in der Partnerschaft bzw. gemeinsam mit dem Partner geht.

In der Praxis sind die Transite von Jupiter, Uranus und Saturn die bedeutsamsten. Wir sehen im Verlauf einer Paarbeziehung, wie sie im Transitgeschehen ihren gesamten Zyklus oder doch den größeren Teil ihres Zyklus vollenden. Bis jetzt habe ich bei den Transiten von Neptun und Pluto keine befriedigenden Resultate gefunden, jedenfalls nichts, was für das Leben eines Paares von besonderer Bedeutung wäre. Betrachten wir nun die Transitkonstellationen im Einzelnen, beginnend mit Mars.

Transite des Mars

Marstransite sind im Composit wichtig, wenn sie sich auf einen Planeten beziehen. Dann blockieren oder fördern sie die Energie des betreffenden Planeten. Im Durchgang durch die Häuser ist Mars weniger wichtig.

Mars im Aspekt

... mit Sonne: Dieser Transit bedeutet eine Periode allgemeiner Erneuerung, die als Anregung zur Veränderung, wo nicht als Veränderung in sich selbst wahrgenommen wird. Es ist, als müsse das Paar dem Wir mehr Raum, mehr Energie geben, als müsse das Paar eine gemeinsame Aktivität beginnen, um die Verbindung zu halten oder einfach um sich weiter in Verbindung zu fühlen. Die Spannungsaspekte können Missverständnisse und manchen kleineren Zusammenstoß begünstigen.

... mit Mond: Entsprechend der Natur des Transitaspektes kommt es durchweg zu einem Zustand erhöhter emotionaler Erregbarkeit. Das Paar ist empfindlich und häufigen Stimmungswechseln unterworfen. Es sieht so aus, als müssten die Rhythmen der Partner ganz unterschiedlich verlaufen. Wo sich die Partner treffen, fangen sie lediglich an zu streiten.
... mit Merkur: Auch dieser Transit kann die Stimmungen des Paares außerordentlich stark beeinflussen. Hier ist freilich die geistige, die intellektuelle Seite betont. Es kann sein, dass die Partner Missverständnissen aufsitzen – sei es bei banalen Angelegenheiten wie dem Ort eines Treffens oder wer den Sohn zur Schule bringt, sei es bei wichtigen Dingen, beispielsweise in einer Diskussion um die Bedeutung der Psychoanalyse oder der Naturheilkunde. Oft meinen die Partner dasselbe, aber sie können einander einfach nicht verstehen.
... mit Venus: Allgemein fallen Konjunktion und Spannungsaspekte mit einer Periode gesteigerter erotischer Leidenschaft zusammen. Dies kann einem Streit oder einer vorangegangenen Zeit der Missverständnisse ein Ende setzen. Die harmonischen Aspekte machen ein besseres Einverständnis des Paares wahrscheinlich, mit Auswirkungen auf die gesamte Erfahrungswelt der Partner.
... mit Mars: Wenn das Paar im Composit wenig Dynamik zeigt – mit einem schwach gestellten Mars oder Uranus –, kann dieser Transit einen Kreativitätsschub bedeuten, mit erhöhter Vitalität gegenüber denjenigen Lebensthemen, die sonst eher allzu ruhig angegangen werden. Hierzu betrachte man auch das Haus, durch das Mars läuft. Wenn das Composit ohnehin viel Dynamik zeigt, kann sich innerhalb der Beziehung ein gereiztes Seelenklima bilden, in dem, wenn es an Kontrolle mangelt, auch Kurzschlusshandlungen möglich werden.
... mit Jupiter: Dieser Transit ist hervorragend geeignet für Reisen des Paares, zumal dann, wenn es sich um ein Trigon handelt. Das gilt vor allem, wenn es dabei um Wiederversöhnung, Wiederbelebung geht. Eine solche »Reise« kann natürlich auch der Anfang einer Paartherapie oder der Beginn eines gemeinsamen Hobbys sein. Oft verbessert sich auch die gemeinsame wirtschaftliche Situation, unabhängig von der Natur des Aspektes.

... mit Saturn: Das ist eine tendenziell schwierige Lebensperiode. Das Paar hat früher Verantwortungen übernommen, die nun ein Einstehen verlangen. Oft kommen diese Verantwortungen überraschend und unvorbereitet auf das Paar zu, auch weil sie zwischenzeitlich in Vergessenheit geraten sind oder weil das Paar sie anfangs wenig vorausschauend akzeptiert hat.
... mit Uranus: Unter dieser Aspektkombination erhöht sich gewissermaßen der Energiepegel der Partnerbeziehung. Die Partner werden sich dessen bewusst, dass ihre Bindung neue seelische Impulse benötigt. Dies kann sich freilich auch in der Anschaffung eines elektrischen Haushaltsgerätes oder eines elektronischen Zeitvertreibs – vom Computer bis zum Abonnement aufs Pay-TV – niederschlagen.
... mit Neptun: Etwas, das die Partner miteinander geplant haben, kann sich vor ihren Augen in Luft auflösen, ohne dass sie etwas dagegen tun können. Der Aspekt kann indirekt eine Zeit des Unbefriedigtseins und der Verwirrung mit sich bringen. Sofern das Composit diese Möglichkeit mit einschließt, wird dann ein Rückgriff auf unangemessene Konzepte und Lösungen versucht – mit entsprechenden Schwierigkeiten.
... mit Pluto: Das ist für ein Paar mit sexuellen Problemen sicherlich ein guter Transit. Er wirkt sozusagen gleichermaßen auf psychoerotischer wie auf hormoneller Ebene. Wunderbare Augenblicke tiefsten Einverständnisses sind möglich. Da kann auch mögliche Aggressivität, die sich nicht auf verbaler Ebene zum Ausdruck bringt, entspannt und gewissermaßen entladen werden, ohne dass es nötig ist, den Partner zu verletzen oder zu erniedrigen. Der Ringkampf, wenn man so will, wird im Bett ausgetragen.

Transite des Jupiter

Ein kompletter Jupiterumlauf dauert etwa zwölf Jahre. So hält sich der Planet in jedem Horoskophaus ungefähr ein Jahr auf. Diese Zeit ist nötig, damit sich das Paar bewusst wird und zu dem besonderen Lebensthema, wie es durch das jeweilige Horoskophaus zum Ausdruck kommt, eine vertrauensvoll annahmebereite Haltung entwickelt. Wenn es einem Paar gelingt, einen kompletten Jupiterumlauf miteinander zu erleben, gewinnt es auf jeden Fall den gemeinsamen Erfahrungshintergrund, um die Beziehung jenseits von erotischer Leidenschaft und alltäglicher Routine zu festigen.

Jupiter im Transit durch

... Haus 1: Mit diesem Transit formt sich das Erscheinungsbild des Paares nach außen: So sehen die anderen die beiden Partner. Noch gibt es keine sichere Basis, es sei denn, es handelte sich um den zweiten oder dritten Durchgang während der Beziehung. Alles geschieht vorwiegend auf einer äußeren Ebene. Die eigene Geschichte soll gewissermaßen öffentlich gemacht werden, das Paar will sich als ein »Wir« darstellen. Wenn es sich um den zweiten Durchgang handelt, muss das »Image« der Beziehung überarbeitet werden. Diejenigen Aspekte, die der Beziehungswirklichkeit nicht mehr entsprechen, werden revidiert.

... Haus 2: In dieser Zeit werden die ersten wirklichen Fundamente der Beziehung gebildet. Das Paar gewinnt an Sicherheit, gewinnt Selbstverständlichkeit in der Wahl seiner Mittel, im Gebrauch dessen, was ursprünglich nur von einem der beiden Partner kommt. Es ist, als arbeitete das Paar an einem Gemeinschaftsprojekt, das der Beziehung Festigkeit verleihen soll. Es scheint, als werde die Beziehung durch etwas ganz Konkretes bestätigt. Das kann der Erwerb eines Hauses sein, die Eröffnung eines gemeinsamen Kontos oder der Druck von Visitenkärtchen mit den Namen beider Partner. Immer gibt es während der Wirkungsdauer dieses Transits auch einen ganz praktischen, gegenständlichen Aspekt im gemeinsamen Leben.

... Haus 3: Dieses Jahr kann das Paar in einer gewissen Freiheit verbringen. Die gemeinsame Verantwortung wird leichter, sofern das Paar beim Durchgang des Jupiters durch das vorangehende 2. Haus gute Arbeit geleistet und für eine gemeinsame Sicherheit gesorgt hat. Wenn Jupiter während des Transits durchs 3. Haus Spannungsaspekte zu anderen Planeten bildet, sind Unannehmlichkeiten und Missgeschicke denkbar, die auf Leichtfertigkeit und oberflächliches Urteil zurückgehen.

... Haus 4: Bei diesem Transit wird das Bedürfnis nach Intimität größer. Das Paar verspürt die Notwendigkeit, häufiger zusammen zu sein. Gegenseitige Einfühlung und symbiotisches Miteinander intensivieren sich. Das gemeinsame Haus oder ein sonstiger intimer Platz werden zur Achse, um die sich das Leben des Paares dreht. Die beiden Partner fühlen sich innig miteinander verbunden und können insofern auch Abstand vom gesellschaftlichen Leben nehmen. Generell entfernt sich das Paar in dieser Phase von anderen und achtet besonders auf die ganz eigenen emotionalen Bedürfnisse.

... Haus 5: Wenn die gemeinsame Intimität im Jahr zuvor pathologische Blüten getrieben hat, dann ist jetzt eine wahre Explosion von nach außen gerichteter Lebensfreude zu erwarten mit dem Wunsch nach Zerstreuung und nach neuen Erfahrungen. Das Paar kann sich auch gewissermaßen neu ineinander verlieben, es kann der Wunsch nach einem Kind aufkommen oder die unbändige Neigung zu tausend Abenteuern. Dies ist ein Zeitraum ausgedehnter partnerlicher Kreativität.

... Haus 6: Nach den rauschenden Festen und (möglichen) Übertreibungen des Jahres zuvor kommt nun die Zeit, da es darum geht, wieder zu einer gewissen Ruhe und Ausgeglichenheit im Alltag zu finden. Der Jupitertransit durch das 6. Haus lehrt uns, auch die Routine zu genießen, die Ruhe der eigenen vier Wände. Er lehrt uns, den Alltag wieder zu schätzen, der gewiss nicht immer begeisternd ist, aber unverzichtbar für die Stabilität der Bindung. Während dieses Jahres sind Zeiten der Ermüdung denkbar. Einer oder beide Partner verspüren eventuell das Bedürfnis, auch mal »hinaus zu gehen« und anderswo zu suchen, was innerhalb der Partnerschaft fehlt. Wenn Jupiter in dieser Zeit Spannungsaspekte zu den Planeten des Composits bildet, kann einer der Partner mit gesundheitlichen oder beruflichen Problemen zu tun haben, welche sich auf die Beziehung auswirken.

... Haus 7: Ich persönlich betrachte diesen Jupitertransit als echte Möglichkeit, die Beziehung zu festigen. Jupiter verleiht hier diejenige Sicherheit, die nötig ist, um die Verbindung zweier Personen auch nach außen hin zu bestätigen. Das Klima begünstigt ein angenehmes Wohlbefinden in der Gemeinschaft. Auch bei Spannungsaspekten in dieser Zeit können die auftretenden Probleme leicht bewältigt werden. In gewisser Hinsicht kann man in diesem

Jahr erkennen, ob eine Beziehung Bestand hat. Wenn das Paar seine Gemeinsamkeit nicht über dieses Jahr hinaus bewahren kann, dann sollte die Beziehung auch nicht von Dauer sein. Dann ist auch eine Trennung generell nicht so schmerzlich oder grausam, vorausgesetzt es gibt keine Spannungsaspekte von Mars und Uranus.

... **Haus 8:** Jupiter im Durchgang durch dieses Haus deutet das Ende eines Zeitabschnitts an und den Beginn einer wirklich tiefen und authentischen Erfahrung. Wenn das Paar sich seiner bereits sicher ist, bedarf es nun keiner weiteren Klärung jeder einzelnen Angelegenheit mehr, schon gar nicht mit Worten. Jetzt kann die Beziehung an Tiefe gewinnen, bis hin zur telepathischen Verbindung zwischen den Partnern. Der Eros kann zu einem wunderbaren Mittel der gemeinsamen Kommunikation werden. Aber auch Seitensprünge sind möglich, oder es kommen nun frühere Seitensprünge eines oder beider Partner ans Licht. Eine Erbschaft kann der Beziehung neue Impulse geben: Intimität und Freude, die vielleicht durch vorausgegangene materielle Probleme verloren gingen, werden wieder lebendig.

... **Haus 9:** Während dieses Transits erweitert das Paar in jeder Hinsicht seine Horizonte. Es kann geschehen, dass sich einer der beiden Partner einer religiösen Überzeugung oder einer Lebensphilosophie zuwendet, in die auch der andere Partner einbezogen wird. Beide können sich dazu entschließen, einen Teil ihrer Energie auf Reisen oder auf Ausbildungen zu verwenden. Die eigenen vier Wände können beiden nun zu eng werden. Der Haushalt wird auf das unverzichtbare Minimum reduziert. Die Partner müssen nicht unbedingt weit fahren, aber sie nutzen jede Gelegenheit, um aus dem Haus zu gehen – ob nun auf Besuche in der Nachbarschaft oder bei den Verwandten.

... **Haus 10:** In diesem Jahr gewinnt das Paar eine greifbare gesellschaftliche Identität, die auch Aussicht auf Beständigkeit hat. Es ist möglich, dass für diejenigen Paare, bei denen die äußere Erscheinung wichtiger ist als alles andere, diese Zeit schwierig zu gestalten ist, vor allem, wenn Spannungsaspekte vorliegen. Gerade dann geschieht es oft, dass die Glaubwürdigkeit eines Paares leidet. Gern werden Entscheidungen getroffen, die nicht den Erwartungen des jeweiligen Umfelds entsprechen. Es ist aber nicht zu erwarten, dass sich das Paar in dieser Zeit trennt. Das hat mit dem gemeinsamen Image oder mit ökonomischen Interessen zu tun.

... **Haus 11:** In diesem Jahr können dem Paar Freundschaften widerfahren, welche neue Impulse geben. Das Paar kann so auch aus einer bedrückenden Routine herausfinden und das Bedürfnis verspüren, neuen Entwicklungen und Interessen Raum zu geben. Es fängt an, sich mehr Freiheit zu erobern, vor allem wenn die Beziehung bereits erprobt ist und keine pathologischen Züge trägt. Manche Partner machen nun als »Single auf Zeit« Erfahrungen, die dann zur Partnerschaft zurückführen. Die Beziehung zum Partner wird nicht untergraben. Vielmehr geben solche Single-Erfahrungen der Partnerschaft neue lebendige Impulse, die Beziehung wird schöpferisch und lässt alte Muster hinter sich.

... **Haus 12:** Es handelt sich um eine Periode, in der dem Paar eine oder mehrere Herausforderungen begegnen, die es gemeinsam zu bestehen gilt. Es kann sich gewissermaßen um Prüfungen innerhalb der Beziehung selbst handeln – etwa eine Krankheit des Partners, die Aufmerksamkeit und Fürsorge verlangt. Auch äußere Probleme können auftreten, etwa eine Fehlinvestition, die die Ersparnisse opfervoller Jahre in Rauch aufgehen lässt. Es ist wichtig, nicht dem Partner eine Schuld zuzuschieben, die er gar nicht hat. Hilfreich ist, eine positive Sichtweise zu entwickeln, denn einige Monate später wird es neue Lichtblicke geben.

Transite des Saturn

Die Transite des Saturn im Composit sind äußerst markant. Denn sie deuten fast immer auf die Ängste hin, die das Paar im Blick auf verschiedene Verantwortlichkeiten erlebt. Saturntransite zeigen außerdem an, wie das Paar seine Zukunft verwirklicht, wie es die Voraussetzungen schafft, um zu einer nicht nur zufälligen oder illusionsbefrachteten Verwirklichung eigener Ziele zu kommen, sondern auf realistische, an tausend Schwierigkeiten abgearbeitete Weise.

Die Krisen, die das Paar erlebt, sind im Wesentlichen durch Saturntransite zum Composit-Saturn selbst bestimmt. Das erste

Quadrat deutet immer auf eine Krise hin, die für die Zukunft der Beziehung entscheidend ist. Betrachten wir nun die Bedeutung des Saturndurchgangs durch die einzelnen Häuser des Composits:

Saturn im Transit durch

... Haus 1: In diesem Zeitraum wird sich das Paar seiner selbst bewusst: seiner Verbindung, seiner Einheit. Es lernt, sich selbst als ein Wir zu betrachten. Das bedarf einer beachtlichen Anstrengung. Denn jeder Partner muss die Identifikation mit gewissen egozentrischen Haltungen aufgeben. Er muss vor allem begreifen, dass er nicht mehr allein für sich selbst, sondern auch für den Lebensgefährten Verantwortung trägt. Das ist für viele eine harte Probe, ein Gewicht, das sehr bedrückend sein kann. Mancher wird aus der Partnerschaft ausbrechen oder wenigstens einige Voraussetzungen der Beziehung noch einmal ausdiskutieren wollen, damit er seine eigene private Sphäre sichern, seine persönlichen Interessen wahren kann. Unter Umständen werden Freiräume für die einzelnen Partner geschaffen oder es wird Gütertrennung vereinbart.

... Haus 2: In diesen Jahren geben sich die beiden Partner darüber Rechenschaft ab, wo ihre Verantwortung für das Wohlergehen und die Sicherheit des Lebenspartners liegt. Die Pflicht, der sich die Partner unterziehen, kann gravierend sein, vor allem, wenn Spannungsaspekte vorliegen. Aber das Bewusstsein, etwas für den Partner zu tun, hilft auch, die Tragweite und die Bedeutung der Beziehung selbst wertzuschätzen. Dieser Transit ist für das Paar einer der schwierigsten, besonders wenn das Composit luftbetont ist. Denn verlangt wird die beständige Aufmerksamkeit für alle durchgeführten Angelegenheiten, verlangt wird auch, dass man sich an den Druck gewöhnt, der vom Partner und von der Partnerschaft ausgeht.

... Haus 3: Wenn Saturn bei diesem Transit keine Spannungsaspekte bildet, so kann diese Phase dabei helfen, Gleichklang in der Denkhaltung zu gewinnen und so eine harmonische Kommunikation zu schaffen. Dies ist für die Bildung einer gemeinsamen geistigen Haltung nötig. In manchen Fällen muss Verantwortung für einen nahen Verwandten eines der Partner – gewöhnlich für Geschwister oder Cousinen, Cousins – übernommen werden. Daraus können Probleme erwachsen, etwa die Störung der Zweierbeziehung oder Angelegenheiten, die zwar die Partner nicht unmittelbar betreffen, die aber dennoch die Ausgeglichenheit der Beziehung beeinträchtigen.

... **Haus 4:** In dieser Zeit geht es darum, die Verantwortung für die Gründung einer Familie oder für die Gestaltung bzw. Stabilisierung des Familienlebens zu übernehmen. Möglicherweise möchten die Partner ein Haus kaufen und es gelingt ihnen, vielleicht mithilfe eines langfristigen Bankkredits, vielleicht schließen die Partner eine Lebensversicherung ab, die bei Unfällen eine sorgenfreie Zukunft garantiert. Auch andere materielle Entscheidungen können eine Rolle spielen. Für manche Paare kann dieser Transit bedeuten, dass man sich um Eltern bzw. Schwiegereltern kümmern muss, oft dann um die Mutter.

... **Haus 5:** Das ist eine Phase, in der Übertreibungen aller Art eher ausgebremst werden. Jetzt muss sich das Paar über seine Gefühle Gewissheit verschaffen. Kinderlose Paare können nun den Wunsch nach Nachkommenschaft verspüren. Oft freilich machen die Umstände die Erfüllung dieses Wunsches nicht leicht. Erschwerende Probleme können aufkommen, dies kann auch für den inneren Bestand der Beziehung eine Schwächung bedeuten. Paare, die bereits Nachkommen haben, können in dieser Zeit an ihren Kindern wichtige Erfahrungen machen. Auch unvorhergesehene Geldausgaben, etwa für Dinge, die man für überflüssig oder jedenfalls nicht unbedingt notwendig hält, können nun anstehen.

... **Haus 6:** In dieser Phase können – je nach Aspekten des laufenden Saturn – Probleme oder Begünstigungen auftreten, die mit dem Alltagsleben zu tun haben. Einer der Partner erhält möglicherweise eine Gehaltszulage. Oder es gibt zusätzliche Freizeit, die das tägliche Leben insgesamt leichter werden lässt. Denkbar sind aber auch gesundheitliche Einschränkungen: Die Partner können in dieser Zeit wechselweise erkranken oder sie ziehen sich eine Krankheit zu, die beide betrifft, etwa aufgrund einer Infektion oder eines Unfalls, sodass beide genötigt sind, sich zusammen auszukurieren.

... **Haus 7:** Dieser Transit bringt sicher Stabilität in die Partnerschaft, aber auch eine gewisse Schwere. Spontaneität und Unvorsichtigkeiten hören in mancherlei Hinsicht auf. Die Partner leben gewissermaßen nach Recht und Ordnung. Es ist, als gäbe es keinen Raum mehr für jene »Leichtigkeit des Seins«, dafür, in der Partnerschaft in den Tag hinein zu leben und sich nicht um Morgen zu sorgen um das, was einen beim Aufwachen überraschen könnte. Eine solche Schwere mag sich mühsam anfühlen, vor allem wenn die Beziehung als solche an ihrem Beginn steht oder wenn sich die Partnerschaft gefühlsmäßig in einem Engpass befindet. Dann kann der Gedanke an Scheidung hochkommen, an zeitweise Trennung. Alles hängt von der Reife und der inneren Festigkeit des Paares ab. Jede Entscheidung beruht jedoch auf dem freien Willen der Partner.

... Haus 8: Saturn lässt auch moralische Belange nicht ungeprüft. Bei diesem Transit kann Saturn jene kleinen psychischen und sexuellen Abweichungen verhindern, die einer Partnerschaft Spannung und Wert verleihen. Oft zeigt sich in diesem Zeitraum, dass es dem Paar schwer fällt, ganz zu sich zu stehen und dabei doch als ein »Wir« zu empfinden. Jeder lebt sein eigenes Leben, die Partner verbergen kleinere Episoden vor den Augen des jeweils anderen. Die Geheimnisse werden mehr und mehr, schließlich bildet sich ein Vorhang, der eine echte Kommunikation verhindert und zum Ende der Partnerschaft führen kann, wenn die Partner nicht ernsthaft zur Fortsetzung bereit sind.

... Haus 9: In den Jahren dieses Transits zieht sich das Paar teilweise aus dem gesellschaftlichen Leben zurück. Ein Lebensprojekt tritt in den Vordergrund, das der gemeinsamen Entwicklung dient: Studium einer bestimmten Lebenslehre, Annäherung an ein neues religiöses Konzept. Wenn das Paar eine gemeinsame berufliche Tätigkeit ausübt, kann diese Zeit der Ausweitung der gemeinsamen wirtschaftlichen Ressourcen und der professionellen Kompetenzen dienen. Bei harmonischen Aspekten kann sich auch ein echtes Wachstum auf seelischer Ebene einstellen. Die Beziehung schöpft daraus bei entsprechenden Voraussetzungen eine Kraft, die beim Fortschritt des Paares auf der sozialen Leiter, wenn Saturn ins 10. Haus eintritt, sehr unterstützend wirken kann.

... Haus 10: Dieser Transit führt die Bindung meines Erachtens auf den berühmten Prüfstand. In dieser Zeit wird gewissermaßen der

»Ewigkeitswert« der Bindung getestet. Das Paar gibt sich eine Struktur in Bezug auf sein soziales Umfeld – freilich nicht nur auf einer formalen, sondern auch und vor allem auf einer substanziellen Ebene. Auf alles geben die Partner nun gemeinsam eine Antwort. Die persönliche Autonomie der Partner wird teilweise aufgegeben. Das Paar muss beständig im Team an den bedeutsamsten Dingen des Lebens arbeiten. An allem, was wichtig ist, wird der Partner eng beteiligt. Bei disharmonischen Aspekten des Saturn erlebt das Paar dabei auch schwierige, spannungsreiche Phasen, die wiederum mit der Überwindung des Konflikts zwischen Individualismus und partnerschaftlichem Geist zu tun haben. Wenn die Beziehung die Prüfungen, die in diesem Transit liegen, gut bestanden hat, dann ist die Bindung wirklich erprobt und fest. Denkbar ist, dass das Paar sich der Pflicht unterzieht, ein Elternteil – üblicherweise den Vater bzw. Schwiegervater – zu unterstützen.

... Haus 11: Während dieses Transits ist eine Sichtung all dessen erforderlich, was überflüssig ist. Das Bedürfnis kann aufkommen, die emotionale Komponente der Beziehung entweder fallen zu lassen oder mit neuem Leben zu erfüllen. Möglicherweise entwickeln die beiden Partner eine noch tiefere Freundschaftsbeziehung zueinander oder sie finden durch einen Freund neue Perspektiven der persönlichen Begegnung, die in die Beziehung integriert werden. Wenn freilich Saturn Spannungsaspekte bildet, kann eine Freundschaft auch zur Bedrohung für das Paar werden. Oder aus der Hilfe, die ein Freund leistet, entwickelt sich eine schwere Verpflichtung, ein Problem, das sich auf das Privatleben des Paares nachteilig auswirkt.

... Haus 12: Man könnte diesen Transit als »Jahre der Prüfung« bezeichnen. Aber das wäre eine sehr begrenzte Sicht und würde der wahren Bedeutung dieses Transits nicht gerecht. Gewiss, wenn dieser Transit am Beginn einer Partnerschaft steht, kann es eine Reihe von Prüfungen geben, die bestanden werden müssen, manchmal auch in heldenhaftem Geist und mit totalem Engagement. Aber wenn dieser Transit auftritt, nachdem das Paar die Gelegenheit zu allerlei gemeinsamen Erfahrungen hatte, zumal solchen, die astrologisch mit dem 9. Haus zu tun haben, dürften die Wirkungen weit weniger schwer wiegend sein und sich eher auf der psychischen als auf der materiellen Ebene zeigen. Insgesamt ist es schwierig, die Art der Erfahrung anzugeben, die Saturn hier dem Paar auferlegt. Wir können nur sagen, dass es auf die Erkenntnis ankommt, welchen Wert es hat, sich für den anderen zu opfern, wenn das Paar siegreich aus diesem Transit hervorgehen will. Das heißt natürlich nicht, dass man sich total zurücknimmt. Daraus würden mit der Zeit Unzufriedenheit und Ressentiments entstehen mit dem Ergebnis, dass alle Anstrengungen, die das Paar im Namen von und im Glauben an das Wir-Gefühl unternommen hat, zunichte würden.

Transite des Uranus

Uranus ist der äußerste Planet, dessen Zyklus in einem Leben und manchmal auch in einer Partnerschaft vollständig erlebt werden kann. Die Wirklichkeit sieht freilich häufig anders aus. Manche Partnerschaft erlebt lediglich den Durchgang des Uranus durch einige wenige Häuser.

Generell führt der Transit des Uranus durch ein Haus des Composits zu einer deutlichen Veränderung. Dies kann etwa in einem Bogen von sieben Jahren geschehen und bezieht sich auf das durch das jeweilige Haus angezeigte Lebensgebiet. Der Auslöser wird durch die Aspekte gegeben, die der laufende Uranus mit den verschiedenen Planeten des Composits bildet. Die Aspekte, die Uranus zu den Planeten jenseits von Jupiter wirft, sind nur begrenzt wichtig. Sie werden gleichzeitig von etwa gleichaltrigen Personen bzw. Paaren erlebt. Außerdem haben diese Planeten meist ähnliche Positionen wie in den Geburtsbildern der einzelnen Partner. Insofern beachtet man bei der Transitanalyse von Uranus hauptsächlich die Aspekte von Uranus mit den persönlichen Planeten, die für das Paar individuell charakteristisch sind und die nicht so sehr das Generationenschicksal der Partner bezeichnen.

Uranus im Aspekt mit

... Sonne: Bei diesem Transit spürt das Paar die Notwendigkeit, innerhalb der Struktur der Partnerschaft selbst Entscheidendes zu verändern, damit die Beziehung lebendig bleibt. Das Selbst des

Paares verlangt nach einer gründlichen Umorientierung. Wenn das Paar dazu nicht in der Lage ist, kann es durchaus zu sehr eindrücklichen Ereignissen oder Situationen kommen, die innerhalb der Partnerschaft besondere Aufmerksamkeit erfordern. Generell wird in dieser Zeit öfters gestritten, die einzelnen Partner fordern für sich mehr Unabhängigkeit. Das geschieht jedoch nicht zum Selbstzweck, sondern soll der Partnerschaft mehr Stabilität geben, weil die Bindung dadurch belebt wird und das Abgleiten in eine der Routine verpflichtete, nur scheinbar ausgeglichene Lebensweise vermieden wird.

... Mond: Bei diesem Transit werden die Emotionen und Gefühlsbindungen, die die Partnerschaft innerlich am Laufen halten, thematisiert. Mitunter werden die Beschwerden gegen den Einfluss der Schwiegermutter zum Thema, die vom Partner als Eindringling oder als Gefahr für die Stabilität der Partnerschaft betrachtet wird. Das kann eine schlichte Projektion eigener schattenhafter Anteile sein: Man will alte Irrtümer und Verantwortlichkeiten nicht wahrnehmen. Aber manchmal fällt dieser Transit tatsächlich mit der enervierenden Präsenz einer der Mütter zusammen. Bei Spannungsaspekten sind es unter Umständen sogar beide Mütter. Zu anderen Zeiten kann ein Uranustransit zum Mond einen der beiden Partner dazu anregen, in eine Mutterrolle zu schlüpfen. Dieser verhält sich dann in Konflikten mit dem Partner übervorsichtig. So wird die Beziehung als solche verändert und bekommt eine andere Tendenz, und sei es nur für eine gewisse Zeit.

... Merkur: Wenn das Paar Kinder hat, ergeben sich die deutlichsten Veränderungen eben in Bezug auf die Kinder. Daraus kann eine Instabilität der Beziehung erwachsen. Unter einem derartigen Transit kann eines der Kinder sich innerlich entfernen oder ausziehen, sodass das Paar genötigt ist, sich neu zu definieren. Das wird nicht immer als angenehm erlebt, besonders bei Vorliegen von Spannungsaspekten. In anderen Fällen kann angezeigt sein, dass die Beziehung gewissermaßen eine Verjüngung braucht, eine Rückkehr zu Beweglichkeit und Ausdrucksstärke. Das kann der Bindung eine neue Perspektive geben sowie einen stärkeren Impuls, gemeinsam denjenigen Lebensweg fortzusetzen, der begann, als sich die beiden Partner das erste Mal begegneten.

... Venus: Bei diesem Transit verlangt die Partnerschaft insgesamt eine Neuorientierung. Oft verspürt das Paar das tiefe Bedürfnis nach Erneuerung bei sich selbst. Wahrscheinlich öffnen sich manche Paare auch für Erfahrungen mit anderen Paaren. Das müssen nun nicht notwendig sexuelle Erfahrungen sein. Andere freilich fühlen sich zu Abenteuern gedrängt, die ihnen jenen Schwung zurückgeben, der mit der Zeit innerhalb der Gemeinschaft schwächer geworden ist. Allgemein steht nun für beide Partner die Beziehung zur Diskussion. Bei Spannungsaspekten kann das auch eine Trennung auf Zeit bedeuten – damit die tatsächliche Tragweite der Gefühle füreinander und der Beziehung als solcher geklärt werden können.

... Mars: Bei diesem Transit geht es in der Partnerschaft normalerweise recht stürmisch zu. Die Energie ist stärker als eigentlich nötig, und so hat jeder das Bedürfnis nach noch mehr Freiraum, um sich auszudrücken. Diese Freiräume freilich scheinen generell vom Partner besetzt oder jedenfalls blockiert zu sein. Oft ist auch die erotische Energie gesteigert und will entsprechend beachtet sein. Ein intensives erotisches Leben kann viele gewaltsame Übertreibungen wieder zur Ruhe bringen und dem Paar dabei helfen, jene Phasen zu überstehen, wo eine Erklärung oder eine Diskussion zu überhaupt nichts zu führen scheint. Es ist sinnvoll, die Ereignisse und Probleme in diesem Zeitraum nicht allzu sehr zu analysieren.

... Jupiter: In diesem Zeitraum wird das Paar im Allgemeinen mit materiellen Problemen, weniger mit seelischen Fragen konfrontiert. Die eine oder andere ökonomische Sicherheit kann ins Wanken geraten, es kann zu unvorhergesehenen Geldausgaben kommen – für Dinge, die nicht immer zum eigentlichen Geschäft der Partner gehören. Bei Spannungsaspekten kann das Paar das Gefühl haben, dass die eigene ökonomische Sicherheit bedroht ist, während harmonische Aspekte zu unverhofften materiellen Begünstigungen führen können – etwa Gewinne, Gehaltszulagen, unerwartet günstige Resultate bei Investitionen. Generell ist dann das Gefühl des Wohlergehens gesteigert, und dieses Gefühl teilt sich allen mit, die im Umfeld des Paares sind. Auch Reisen werden begünstigt, ebenso überraschende Erfahrungen während solcher Reisen.

… Lilith: Uranustransite zur Lilith im Composit – manchmal auch Marstransite, vor allem in dissonanten Aspekten – bringen üblicherweise Geheimnisse eines der beiden Partner ans Licht, Geheimnisse, die unweigerlich die Beziehung als solche beeinflussen. In manchen Fällen handelt es sich auch um ein Geheimnis des Paares, das sich um die gemeinsame Sexualität oder um die Gestaltung des beruflichen Lebens rankt. Dieses Geheimnis kommt nun an den Tag und kann zu einem Skandal mit sozialen Folgen führen. Das Paar verliert seinen guten Ruf, die allgemeine Wertschätzung, die öffentliche Reputation usw. Bei harmonischen Aspekten ist es denkbar, dass das Paar an sich selbst faszinierende Seiten entdeckt. Dann können bestimmte Grenzüberschreitungen ausgelebt werden, ohne dass es Probleme gibt, und die gemeinsame Freude dient der Belebung der Gemeinschaft.

Oft führt dieser Transit dazu, dass das Paar bislang wirkende sexuelle Tabus überwindet oder Schuldgefühle ablegt, die die Lebendigkeit der Partnerschaft beeinträchtigt haben.

Transite von Neptun und Pluto

Wie schon erwähnt, verfüge ich bislang nicht über ausreichende Fallerfahrung, um die Konstellationen mit Neptun und Pluto an Entwicklungen und Ereignissen verifizieren zu können, allenfalls oberflächlich. Im Allgemeinen führen Neptuntransite auf der einen Seite zu Verwirrung und Entscheidungslosigkeit in der Paarbeziehung. Auf der anderen Seite aber werden Kreativkräfte, wird die emotionale Ausdrucksfähigkeit vertieft, sodass ein Neptuntransit auch sehr schöne Jahre zu schenken vermag. Natürlich gibt das Composit in dieser Hinsicht genauere Hinweise. Bei Plutotransiten habe ich den Eindrück, dass es auf der Ebene der Paarbeziehung um Probleme geht, die mit Können, mit Macht, mit Gestaltungskraft zu tun haben. In einem Fall ging Pluto durch das 6. Haus eines Composits. Das betreffende Paar tat alles, um die Bindung zu festigen, sich zu etablieren und generell seine Kräfte, sein Stehvermögen unter Beweis zu stellen. Denkbar ist, dass die innere Beziehung eines Paares durch die Bedeutung desjenigen Hauses gekennzeichnet wird, durch das Pluto während der Partnerschaft hauptsächlich geht, vor allem, wenn Pluto im Composit besonders stark steht. Ein Häuserdurchgang von Pluto kann zwischen 11 und 33 Jahren dauern.

Transite des Chiron

Die Chirontransite im Composit geben dem Paar die Möglichkeit, durch gemeinsame Erfahrungen das Grundmotiv seiner Gemeinschaft zu begreifen. Vor allem aktivieren diese Transite die Fähigkeiten zur Selbstheilung, zur gegenseitigen Fürsorge. So wird die gemeinsame emotionale Verflochtenheit dichter und fester, so entwickelt das Paar mehr Sicherheit und Mut, um die verschiedenen existenziellen Herausforderungen zu bestehen, die man als Paar gewählt hat. Der Durchgang von Chiron durch ein bestimmtes Haus kann auch Aufschluss darüber geben, welche Aufbauarbeit das Paar leisten soll, welche Lektion gelernt werden soll, damit das Paar auf seinem Weg vorankommt. In vielerlei Hinsicht stellen die Chirontransite Prüfsteine dar, vor allem, wenn Chiron durch diejenigen Häuser geht, die in die Zeichen Wassermann, Fische und Widder fallen. Denn hier hält sich Chiron wegen der Exzentrizität seiner Umlaufbahn viele Jahre auf.

Die wichtigsten Transite sind freilich diejenigen, die die persönlichen Planeten und hier besonders die Lichter berühren. Bei einem harmonischen Aspekt von Chiron zur Composit-Sonne etwa ist gut denkbar, dass das Paar den Grund erkennt, warum es das Leben miteinander teilt. Es öffnet sich neuen Erfahrungen, die die Partnerschaft bereichern können. Es ahnt, dass es gemeinsam auch harte Prüfungen bestehen kann, denn jeder Partner spürt, dass er sich auf die Unterstützung des anderen verlassen kann. Das Vertrauen wächst, man vertieft die Bindung zueinander, ohne sich voneinander abhängig zu machen. So wird das Gefühl gegenseitiger Zugehörigkeit entwickelt und damit die Kraft, auch besonders schwierige Situationen zu meistern.

Chiron im Transit zur Composit-Sonne auf karmischer Ebene hilft dem Paar, diejenigen Probleme zu erkennen und anzugehen, die aus früheren Leben stammen. Ebenso kann es um persönliche Erfahrungen gehen, die vor der jetzigen Beziehung liegen. Diese

Auseinandersetzung kann zu größerer Ausgeglichenheit führen, zu einer Verstärkung der gemeinsamen Basis. Das ist nötig, damit das Paar die unausweichlichen Ressentiments und krank machenden Gefühle bewältigen kann, die sich mit jenen alten Schmerzen und Rücksichtslosigkeiten verknüpfen. Die Spannungsaspekte des Transit-Chiron zur Sonne können hingegen starken Einfluss auf die Moral des Paares nehmen. Vergangene Sachverhalte können nun ans Licht kommen, gelegentlich auch Erinnerungen an gemeinsam verbrachte frühere Leben, sofern die Beziehung auch in vorangegangenen Existenzen gelebt wurde. Oft ist das Paar jedoch noch nicht dazu bereit: In manchen Fällen kann der Transit dann zu einsamer Reflexion auffordern, mit größerem Einfluss auf die Festigkeit der Paarbeziehung. Das Paar muss unter einem solchen Spannungsaspekt also sehr Acht geben, welche Realisierung es wählt, auch wenn die Wahl scheinbar unausweichlich ist.

Die Transite des Chiron zum Composit-Mond lassen Gefühle, Erinnerungen, Emotionen hochkommen, die ihre Wurzeln in der Vergangenheit haben. Das Paar kann hier die karmischen Motive zurückverfolgen, die die beiden zur Wiederbegegnung im jetzigen Leben veranlasst haben oder die es dazu bestimmt haben, erstmalig eine Beziehung aufzubauen. Dieser Transit macht die tatsächlichen Gefühlsmotive sichtbar, die zum Zusammenleben geführt haben. Bei harmonischen Aspekten wird das alles wie eine unverzichtbar schöne Erfahrung erlebt, die zur Harmonie und zum seelischen Wohlergehen des Paares beiträgt. Das Paar vertraut seinen Gefühlen und hat keinen Anlass, daran zu zweifeln. Die Spannungsaspekte freilich können zu einer großen Überempfindlichkeit führen. Eine gelassene, ausgeglichene Lebensweise des Paares ist so kaum möglich. Man meint zu spüren, der Partner sei nun ganz anders als zuvor; und wenn es sich um einen lang dauernden Transit handelt, kann die Stabilität der Beziehung bedroht sein, sofern sie nicht auf sicherem Grund ruht.

Generell freilich führen die Chirontransite im Composit das Paar an neue Ressourcen heran. So können bestimmte Probleme bearbeitet werden, so kann das Paar die Beziehung verbessern und mit neuem Leben, neuer Spannung erfüllen. Chiron ist ein wahrer Heiler in Krisenzeiten. Selbst wenn das Paar sich für eine Trennung entscheidet, kann Chiron die nötigen Bedingungen schaffen, damit die Trennung auf bewusste und reife Weise bewältigt wird. Chiron lehrt dann, das zu bewahren, was die Beziehung an Gutem geschenkt, und das zu vergessen, was die Partner blockiert und was Leid gebracht hat.

Transite der Mondknoten

Der Transit der Mondknoten im Composit dient dazu, all die Probleme aufzuarbeiten, die das Paar in diesem Leben oder in einem vergangenen angesammelt hat. Die Knotenachse hat generell die Aufgabe, all die »Knoten« zu verwandeln oder aufzulösen, die für eine unvermittelte und aufrichtige Kommunikation hinderlich sind. Die Kommunikation soll klar und im Einklang mit der Entwicklungsebene sein, die zu leben und zu gestalten das Paar gewählt hat. Die Mondknoten sind gewissermaßen ein Heilmittel, um die oft unverständlichen Spannungen aufzufangen und zu wandeln, die häufig den Fortschritt einer Paarbeziehung verhindern. Von großer Bedeutung sind die Konjunktionen der Knoten mit den Planeten des Composit. Dann kann das Paar diejenigen schwierigen Situationen aufgreifen und auf Dauer verwandeln, welche sehr oft keine bewussten Anlässe haben oder die nicht an die gegenwärtige Existenz geknüpft sind. Die Konjunktionen des südlichen Mondknotens mit den Composit-Planeten haben mit denjenigen Phasen zu tun, in denen Probleme und Fragen aus früheren Leben oder von den Anfängen der jetzigen Beziehung auftauchen. Diese Probleme gilt es nun zu handhaben und zu bearbeiten. Denn solange sie unbewusst bleiben, beeinflussen sie die Partnerschaft und bedrohen sie letztlich. Mit dem Transit des südlichen Knotens werden solche Spannungen aufgelöst, weil sich nun die Möglichkeit ergibt, die Probleme aus der Distanz, gleichsam als schon bewältigte Probleme zu betrachten und die Schädlichkeit einer starren Haltung zu erkennen. Die Konjunktionen des nördlichen Mondknotens mit den Composit-Planeten haben die Aufgabe, neue Möglichkeiten der Beziehung sichtbar und fühlbar zu machen. Eingefahrene Kommunikationsmuster werden erneuert, alte Beziehungsmodi werden gewandelt. So findet das Paar zu größerer Freiheit und kann neue Themen zulassen, die zu einer neuen Dimension der Beziehung hinleiten. Transite des nördlichen Knotens fallen mit besonders kreativen Phasen zusammen. Die Transite sind freilich zum Teil dann gefährlich, wenn sich das Paar ohnehin in einer Krise befindet. Denn die durch diese Transite ausgelöste Welle »hin zu neuen Ufern« kann nun als eine weiter gehende Notwendigkeit (miss-)verstanden werden, sich zu trennen. Gemeint ist freilich ein Impuls zur Erneuerung der Beziehung selbst.

In besonders schwierigen Zeiten können Transite der Knoten heilsam sein. Sie können das Herz für einen Dialog, für eine konstruktive Auseinandersetzung öffnen und damit für die Wiedergewinnung eines Grundvertrauens. Und möglicherweise findet das Paar dann auch jenes Glück, jenes Wohlbefinden wieder, von dem die schönsten Zeiten der Beziehung geprägt waren.

Die Geschichte

Sorrent im August 1962. Alfio ging mit einem Freund eine Wette ein: eine Telefonnummer und eine kleine Zusatzinformation, und er wäre in der Lage, mit irgendeinem Mädchen anzubändeln. Die Wahl fiel auf Marisa, allen als die Unnahbarste bekannt, die, die anzusprechen noch keinem je gelungen war. Alfio kannte Marisa nicht persönlich, war aber mit ihren Brüdern befreundet. Er beschloss daher, sie anzurufen und sich als einer ihrer Bekannten auszugeben, dem sie selbst ihre Nummer während ihrer Ferien auf Ischia gegeben hatte. Sie plauderten ein wenig, auch wenn Marisa sich nicht wirklich an eine solche Begegnung erinnern konnte. Alfio fand Marisa ausgesprochen sympathisch und fragte sie, ob er sie weiterhin anrufen könne. Marisa stimmte neugierig zu. Sie sprachen noch einige Male miteinander, aber sie hatte Mühe, sich an einen Alfio zu erinnern. Wie auch, denn sie hatten sich zuvor ja nie kennengelernt. Einige Tage später war der 20. Geburtstag von Marisa. Der Geburtstag war eine Gelegenheit, sich nach den Ferien auch in der Stadt wiederzusehen. Natürlich wurde auch Alfio eingeladen. Er kam zu Marisa ins Haus mit einer roten Rose, als das

Fest bereits begonnen hatte. Als Alfio Marisa erblickte, spürte er sofort, dass sie die ideale Frau für ihn war.

Alfio machte Marisa kurze Zeit den Hof. Und schon Ende September verlobten sich die beiden. Als sie den anderen ihre Verbindung bekannt gaben, war Marisas Mutter nicht unbedingt zufrieden. Alfio war zwei Jahre jünger als ihre Tochter und überdies noch Student ohne erkennbare Zukunft. Noch weniger glücklich war Alfios Mutter. In einem Telefonat dämpfte sie den Enthusiasmus von Marisa. Eine Eheschließung sei kaum zu erwarten, denn ihr Sohn werde noch zehn Jahre brauchen, bevor sein Studium beendet sei. Nach einer Woche löste Marisa an einem regnerischen Tag, auch auf Drängen der Mutter, die Verlobung mit Alfio. Natürlich zog er sich nicht einfach enttäuscht zurück, sondern nutzte die Freundschaft zu Marisas Brüdern, um den Kontakt zu ihr zu halten, wenngleich sporadisch. So blieb er über Marisas Angelegenheiten auf dem Laufenden und brachte schließlich in Erfahrung, dass die wichtigste Frau in seinem Leben sich »offiziell« mit einem Mann verlobt hatte, der deutlich älter war als er selbst – »sicher«, wird Alfio später sagen, »vierzehn Jahre älter und erfahrener als ich«. Wir schreiben inzwischen Juli 1965. Diese Verlobung ging jedoch im Dezember 1966 in die Brüche, und Ende Februar 1967 machte Alfio einen zweiten Versuch. Er und Marisa begannen erneut, sich zu treffen. Doch in Alfios Leben hatte sich noch nichts verändert. Marisa fühlte sich nach wie vor sehr an die Familie ihres nunmehrigen Ex-Bräutigams gebunden. So hörte die neuerliche Beziehung auf, bevor sie noch richtig gestartet war. Später erinnerte sich Alfio: »Das Komische war, dass für Marisas Mutter alles in Ordnung war, wenn wir uns sonntags sahen. Man weiß: Ein Nagel ersetzt den anderen. Aber als sie begriff, dass die Angelegenheit da wieder anfangen könnte, wo sie einige Jahre zuvor unterbrochen worden war, warf sie ihrer Tochter Knüppel zwischen die Beine.« Aufs Neue wirkte der familiäre Druck als größtmögliche Abschreckung. Marisa war noch immer nicht sehr überzeugt von der Bindung zu Alfio. Und als der Bräutigam zurückkehrte, gewissermaßen mit den Dokumenten für die Eheschließung in der Hand, kam die Geschichte zwischen Marisa und Alfio zum zweiten Mal zum Erliegen, diesmal offenbar endgültig. Alfio zog sich elegant zurück. Als Marisa im

August desselben Jahres heiratete, war er unter den Gästen. Und so sah er Marisa zum letzten Mal.

Einige Tage später wurde Alfio bei einer Fluggesellschaft als Pilot angestellt. Damit verwirklichte er seinen Lebenstraum. Und so erreichte er auch die ersehnte wirtschaftliche Unabhängigkeit, freilich zu spät, um Marisa Sicherheit bieten zu können. Einige Monate später lernte er eine Frau kenne, die vierzehn Jahre älter war als er – dieselbe Altersdifferenz wie zwischen Marisa und ihrem Mann. Die beiden heirateten, Ende November. Jahre vergingen, ohne dass Alfio und Marisa voneinander hörten. 1971 zog Alfio – er hatte inzwischen eine Tochter – mit seiner Familie genau dorthin, wo seit einiger Zeit auch Marisa lebte. Sie nahmen den Kontakt im bescheidenen Rahmen einer Familienfreundschaft wieder auf. Aber Alfio verstand sich nicht besonders mit dem Gatten seiner »Idealfrau«. Nach kurzer Zeit zogen beide Familien aus beruflichen Gründen weg und verloren sich erneut aus den Augen. Später lebten sich Alfio und Marisa mit ihren jeweiligen Partnern auseinander, und obwohl beide darüber nachsannen, sich scheiden zu lassen, tat es keiner der beiden.

1995 schließlich ging Alfio in den Ruhestand. Nach einer Zeit des Reisens und Nachdenkens kaufte er ein Haus just in der Stadt, in die sich Marisa zurückgezogen hatte. »Ich erinnerte mich, dass Marisa genau in der Stadt wohnte, die ich aus Gründen der Lebensqualität für mich ausgewählt hatte. Ich nahm das Telefonbuch und suchte ihre Nummer. Ich rief ohne jede Erwartung an, rein um des Vergnügens willen, und mir war zumute, als sollte ich wieder bei den Telefonaten zu Beginn des ›Kampfes‹ 1962 anfangen. Beim dritten Anlauf schließlich siegte die Liebe.«

Das Leitmotiv dieser Beziehung ist sicher die fortdauernde Aufmerksamkeit, die Alfio Marisas Leben widmet. Es ist, als wäre Alfio von etwas besessen, das eigentlich unmöglich ist. Aber es wird doch möglich. Diese tiefe Bindung kann – mit Blick auf die Synastrie – durch Alfios Venus in Konjunktion mit Marisas Pluto verständlich werden. Mit diesem Aspekt wird die Beziehung nahezu unauflöslich, sie ist schicksalhaft und setzt sich durch die Zeit fort, ungeachtet der Enttäuschungen und der emotionalen Entbeh-

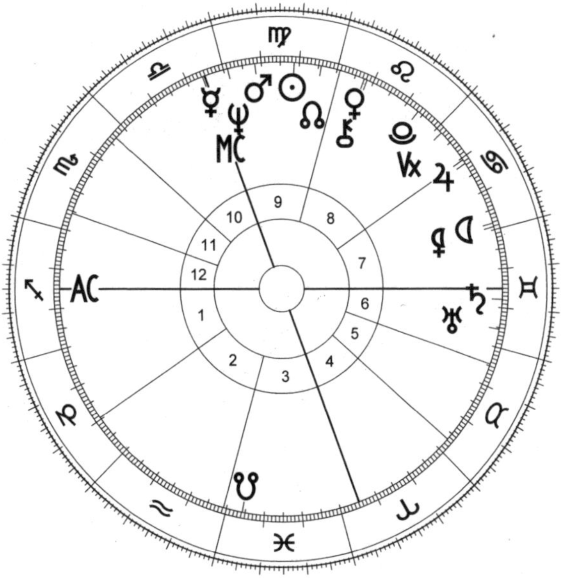

Abb.6: Marisa (Ehepunkt 7° Waage)

rungen (Mond von Marisa in Konjunktion mit Alfios Saturn und umgekehrt ihr Saturn im Quadrat zu seinem Mond). Auch die Dynamik der Achse 2. und 8. Haus verweist auf diese starke Bindung – Sonne, Mars und aufsteigender Mondknoten von Marisa in Alfios 2. Haus; Sonne, Merkur, Venus, Pluto und aufsteigender Mondknoten von Alfio in Marisas 8. Haus.

Das Composit enthüllt den wahrscheinlich karmischen Ursprung dieser Beziehung – Sonne im 11. Haus und in Konjunktion mit dem aufsteigenden Mondknoten. Die Beziehung hat sich wahrscheinlich aus einer sehr innig gelebten Liebe in einem früheren Leben (südlicher Knoten im Wassermann und noch im 4. Haus) zu einer gefühlsbetonten Freundschaft in diesem Leben entwickelt (nördlicher Knoten in Löwe und an der Spitze des 11. Hauses). Diese muss jedoch erst eine Reihe von Problemen und Prüfungen bestehen, die sie freilich am Ende nur stärker macht. Wahrscheinlich ist die Begegnung schicksalhaft bestimmt und überdies darauf ausgerichtet, auch gelebt zu werden (Venus in

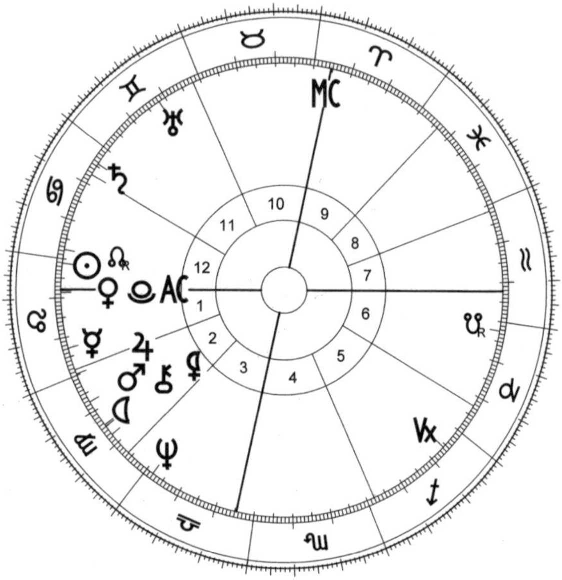

Abb. 7: Alfio (Ehepunkt 7° Wassermann)

Konjunktion mit Jupiter und dem aufsteigenden Mondknoten). Allerdings soll sie erst in fortgeschrittenem Alter verwirklicht werden (die Dreifachkonjunktion im 10. Haus).

Gehen wir zur Analyse der Transite im Composit über. Im September 1962, als die erste Begegnung stattfand, ging Saturn durchs 4. Haus und über die Opposition von Mond und Pluto im Composit. Dieser Aspekt hat sicher die Heranbildung emotionaler Stabilität beim Paar selbst verhindert. Überdies läuft der Transit-Neptun durch das 2. Haus ins Quadrat zu Mond, Venus, Jupiter und Pluto. Danach erreicht er das Quadrat zur Knotenachse: Alles läuft durcheinander, praktische Sicherheit lässt sich nicht erreichen, ist nicht einmal in der Ferne erkennbar, und die echten Möglichkeiten dieser Liebesgeschichte verwirren sich.

Dass es sich um eine karmische Beziehung handeln dürfte, geht auch daraus hervor, dass der nördliche Mondknoten im Transit mit Mond, Jupiter, Pluto und vor allem mit sich selbst in Konjunktion kommt. Der zweite Anlauf für ihre Beziehung im Februar 1967 ist

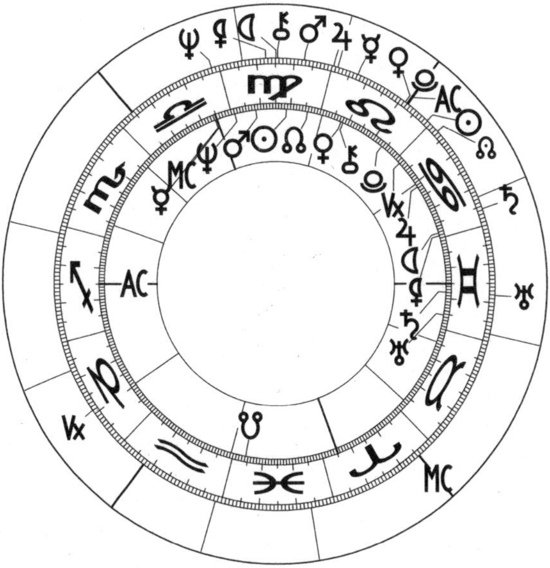

Abb. 8: Synastrie Marisa (innen) und Alfio (außen)

für die Stabilität der Bindung erneut ein ungünstiger Augenblick. Der Transit-Pluto ist noch in Konjunktion mit Merkur und Mars und geht ins Quadrat zum Composit-Saturn. Nun könnte ein endloses Spiel zwischen Illusion und Enttäuschung anheben. Doch das wird durch den Transit-Neptun, nach wie vor im 2. Haus und nun im Quadrat zur Sonne des Composits, verhindert. Aber auch dieser Zeitpunkt ist aus entwicklungsorientierter Sicht ausgesprochen wichtig. Der transitierende nördliche Mondknoten ist im 8. Haus im Quadrat zu Mond, Venus, Jupiter und zum eigenen Ort. Alfio und Marisa müssen sich ihren existenziellen Gegebenheiten stellen, müssen Wege einschlagen, die offenkundig noch keine gemeinsamen Wege sein können. Der aufsteigende Mondknoten bewirkt eine offenbar deutliche und definitive Trennung (Transit durch das 8. Haus). Das ist wichtig, damit die individuell für die gegenwärtige Existenz gewählten Projekte verwirklicht werden können. Die Begegnung im Oktober 1995 schließlich führt zu einer lebendigen und auch jetzt noch vitalen und zumal stabilen Beziehung. Die

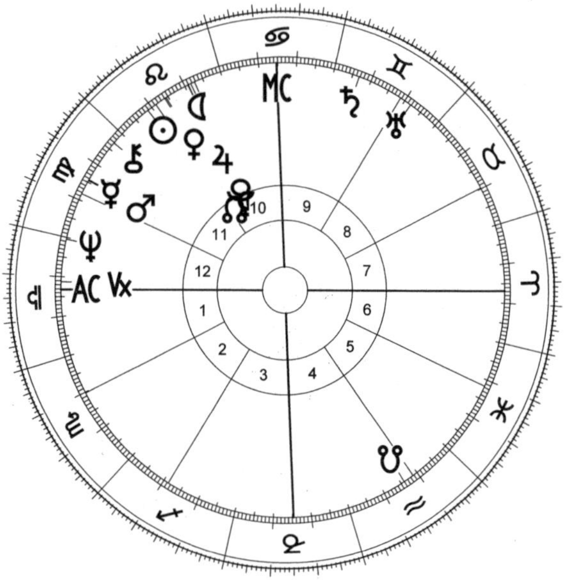

Abb. 9: Composit Marisa und Alfio

Begegnung findet statt bei einem Transit von Jupiter durch das 3. Haus. Jupiter geht zugleich ins Trigon zu Venus, Jupiter und dem aufsteigenden Mondknoten. Zugleich läuft der transitierende Mondknoten ins Trigon zu Saturn. Mit diesen Aspekten wird eine flexiblere und doch zugleich tiefe Beziehungserfahrung möglich. Freilich gibt es Spannungen zwischen den beiden Familien sowie zu den Kindern (Transit-Saturn in Opposition zu Merkur und im Quadrat zum eigenen Ort).

Derjenige Transit-Planet freilich, der die Paarbeziehung am deutlichsten gefestigt hat, ist Chiron. Er bildet im Oktober 1995 harmonische Aspekte zu Mond, Uranus, Pluto und später zu Lilith. Diese Aspekte geben dem Paar mehr gegenseitiges Vertrauen und steigern die Bereitschaft, den Alltag miteinander zu teilen. Das geschieht noch nicht bei hellstem Sonnenschein (Chiron im Transit durch das 12. Haus). Aber es schafft gleichwohl ein tiefes und zugleich echtes Gefühl emotionaler Bindung.

5.
Der Zauber der Begegnung

Auf deinen Lippen will ich weilen, ich allein,
ich unter dem Namen, den du willst.
Vikram Chandra

In der Leidenschaft wird man zum Objekt, man leidet total.
In keiner Weise kann man die Schläge voraussehen,
die einen treffen sollen:
Das ist die Größe, der Wahnsinn, der Schrecken der Leidenschaft.
Marguerite Duras

Die Begegnung mit der eigenen Zwillingsseele – oder derjenigen Seele, die sich dafür hält – geschieht häufig zu einer Zeit, da wir in unserem Leben ein Gleichgewicht zwischen unserer Innenwelt und den Erfordernissen der Außenwelt gefunden haben. Dann hegen wir kaum ein ernstliches, tiefes oder gar obsessives Interesse an einer Beziehung. Es ist, als hätten wir uns resigniert dem Alleinsein verschrieben, auch wenn unser Gefühl nicht immer das einer Niederlage oder eines Verzichts ist.

Manchmal ist die Zeit vor einer neuen Begegnung, speziell vor einer karmisch bedingten Begegnung, durch die Abwesenheit von Emotionen gekennzeichnet. Die eigenen Gefühle sind gewissermaßen aus Vorsicht und zum Selbstschutz auf Eis gelegt, man wehrt entsprechende Bedürfnisse ab, man braucht keine »Liebesgeschichten«.

Aber wie sind wir zu einer solchen seelischen Haltung gekommen? Was hat uns dazu gebracht, Emotionalität zu leugnen oder in anderen Aktivitäten zu sublimieren? Wenn wir einen Schritt zurückgehen, erkennen wir, dass es einen kürzeren oder längeren Zeitraum gegeben hat, in dem wir für die Augen anderer gleichsam durchsichtig waren. Diese unsere Unsichtbarkeit fiel vielleicht zusammen mit einer besonderen Phase in unserem Leben, in der es schwierig war, unsere Aufmerksamkeit auf das Gefühlsleben zu richten. Nichtsdestoweniger haben wir nach Liebe gesucht und haben uns angesichts der fortwährenden ergebnislosen Suche unterlegen gefühlt angesichts der Schwierigkeit, Interesse zu erregen oder wenigstens von demjenigen bemerkt zu werden, auf den wir plötzlich aufmerksam wurden. Alles schien für sich im Fluss zu sein, ohne dass wir wahrnehmen konnten, dass wir der Liebe bedurften, dass wir eine Beziehung eingehen wollten, dass wir jemanden finden wollten, um unser Leben mit ihm zu teilen. Dass wir »durchsichtig« waren, hatte mit einem seelischen Zustand zu tun, der sich emotional nicht auszudrücken vermochte. Denn äußere Anlässe banden unsere Aufmerksamkeit, Verpflichtungen, die uns weit weg von der Möglichkeit einer Paarbeziehung führten. Es gab kein Zusammenwirken unserer innersten Bedürfnisse einerseits und der Aufgaben andererseits, die wir im Außen zu erledigen hatten. Das führte zu einer gewissen Verwirrung, zu einem emotionalen Hin und Her. Wir zeigten eine ambivalente Haltung im Austausch mit anderen. Wir waren vorhanden und zugleich doch nicht vorhanden. Zwar setzten wir uns mit anderen in Verbindung, aber doch nicht in Beziehung und achteten wohl kaum auf die Botschaften, die uns erreichen wollten.

Und überdies zeigten wir uns in gewisser Weise ungeduldig: Wir hörten nicht auf die Signale, die von Interessierten zu uns drangen, mochten sie nicht verstehen. In unserer Haltung wollten wir alles und zwar sofort – oder eben gar nichts: Das war das Leitmotiv unseres Lebens.

Das Bedürfnis nach Liebe zieht sich in solch einer Situation still zurück. Es verwandelt sich in andere Formen von Beziehung, was freilich nicht allein zur Schmerzlinderung dient. Ein intensives soziales Leben mit Freundschaften, der Teilnahme an Fortbildungen, an Selbsterfahrungsgruppen, die Beachtung neuer Interessen, Reisen, die die Seele und manchmal auch das Herz glücklich machen – all das führt uns in Ausgeglichenheit und zu einem grundsätzlich guten Gleichgewicht. Genau dieser wunderbare Zustand aber, sei er real oder nur oberflächlich, begünstigt wiederum Liebesbegegnungen. Nur wenn wir es aufgegeben haben, wie besessen nach unserer Zwillingsseele zu suchen, nehmen unsere Möglichkeiten zu, neue Beziehungen anzuknüpfen. Einen anderen Menschen kennen zu lernen wird dann viel einfacher. Das liegt daran, dass wir nun nicht mehr das obsessive, pathologische Bedürfnis nach dem anderen ausstrahlen. Wir sind nicht mehr durchtränkt von dem Wunsch nach Liebe, anders gesagt, wir haben endlich, wenngleich oft nur zeitweise, eine gewisse Reife unserer Gefühle erlangt. Wir können diesen Reifezustand als Entwicklungsschritt ansehen: Statt die Liebe als solche zu begehren, begehren wir nun wirklich einen Partner, und zwar in seiner Eigenheit und Einzigartigkeit. Sich nun wirklich dem anderen zu öffnen, ihn kennen zu lernen und damit Begegnungen möglich zu machen, bedeutet natürlich nicht, dass nun alle Begegnungen zu einer Beziehung führen. Denn eine Beziehung »... ist eine besondere Art von Synchronizität: ein einzigartiges Ereignis, bei dem die äußere Begegnung zweier Individuen emotionale, symbolische und transformative Bedeutung erlangt.« [R. H. Hopke, *Nulla succede per caso* (»Nichts geschieht zufällig«), Milano 1998, S. 101.]

Die Begegnung, die sich dann in eine Beziehung verwandelt, zeigt tatsächlich Synchronizität zwischen den äußeren Aspekten – dem Ort, wo man sich trifft, dem Augenblick, der unmittelbaren Anziehung oder Abwehr, dem Blick, dem man nicht ausweichen kann – und den inneren Aspekten: dass das Idealbild vom Partner und dessen Sosein übereinstimmen, dass bestimmte Bedürfnisse und Impulse in Einklang kommen, dass aus einer tiefinneren Wahrnehmung das Gefühl von Sicherheit und Geborgenheit resultiert, ein Gefühl, das nicht einfach auf die äußeren Umstände zurückgeführt werden kann.

Die Begegnung freilich, das allererste Zusammentreffen trägt einen besonderen, einzigartigen Zauber in sich. Es ist oft etwas, was nicht einmal Schriftsteller je zutreffend haben beschreiben können. Es ist eine ganz eigene, unwiederholbare Erfahrung, die uns unmittelbar in ein ebenso schönes wie grausames Dilemma führt: »Wie kann ich dessen gewiss sein, dass das, was ich erlebe und fühle, nicht nur Ergebnis meiner Illusionen ist?« Oder: »Welche Prüfung muss ich bestehen, bis wirklich gegenseitiges Interesse vorhanden ist?«

In dieser Phase ist nicht schon von Liebe die Rede. Das, was man wissen will, ist zunächst, ob der Begegnungspartner dieselben Gefühle erlebt, die in einem selbst umgehen. Der erste Kuss ist die Befreiung von all diesen Zweifeln. Alain de Botton schreibt: »Der

Kuss kann alles verändern. Die Berührung von Haut zu Haut kann die ganze Situation unwiderruflich auf den Kopf stellen. Das Reden in Chiffren hört nun auf, nun tritt die verborgene Bedeutung zutage.« [A. de Botton: *Esercizi d'amore* (»Übungen der Liebe«), Parma 1995, S. 43.]

Gerade der Kuss ist es ja, der so oft im Märchen die entscheidende Rolle spielt: der Kuss, der das Erwachen von Dornröschen besiegelt und damit die Rückkehr ins Bewusstsein. Man öffnet die Augen angesichts der Wirklichkeit, der Wirklichkeit nämlich einer Liebe, einer Beziehung, einer Rückkehr ins Leben. Die Magie des Augenblicks der Begegnung wandelt sich auf alchimistische Weise durch den Kuss zu dem, was wir seit langem gesucht hatten. Der Alchimist hat den Stein der Weisen gefunden, es ist ihm gelungen, das unreine Metall in lauteres Gold zu verwandeln. Und so ist es dem Liebenden gelungen, seine Einsamkeit zu überwinden und durch einen anderen Menschen die Sicherheit und die Freude des Geliebtwerdens zu finden. Er hat sein Alleinsein in das Paar-Sein verwandelt, oder, um eine platonische Metapher zu gebrauchen, er hat seine andere Hälfte gefunden, jenen Teil seines Leibes, der ursprünglich Teil von ihm war.

Oft freilich geschieht es, dass derjenige, zu dem wir Gefühle entwickeln, diese nicht erwidert. Oder er ist nur anfänglich interessiert, sodass wir in einen Zustand geraten, in dem sich Enttäuschung mit Groll und Wut wiederum mit der Illusion mischt, dass es sich nur um eine Frage der Zeit handeln könne, bis der andere den hohen Wert unserer Liebe erkennt.

In solchen Zeiten werden unsere Fähigkeiten auf die Probe gestellt: unser spirituelles Wachstum, der Entwicklungsstand unserer Persönlichkeit. Jetzt ist es an der Zeit, dass wir weiterhin unsere Liebe schenken, und zwar ohne Bedingung, ohne Besitzanspruch. So kann das Meer unserer Gefühle nicht von jener anderen Art der Liebe verunreinigt werden – von jenem merkwürdigen und gefährlichen Mechanismus des Grolls und der Rache, der zwar die Beziehung zum anderen bewahrt, aber nicht zulässt, dass wir irgendetwas Neues mit unserem Beziehungspartner oder mit einem anderen Partner gestalten.

Die Liebe, die wir dem Geliebten schenken, ist fast durchweg mit

Interessen verknüpft. Sie enthält eine gute Dosis Besitzstreben. Aber wir müssten die Liebe dem Geliebten auch dann schenken, wenn wir von ihm zurückgewiesen werden. Das bedeutet nicht, dass der Liebende in ein masochistisches Verhalten abgleiten soll. Freilich scheint es leichter, ein Band der Liebe zu zerreißen als ein Band des Hasses. Wenn man weiterhin liebt, auch bei Zurückweisung vonseiten des Partners, bleibt man im Einklang mit der Erfahrung der Liebe. Sie verstärkt sich in gewisser Weise noch. Denn je mehr man sich von der Liebe als einer erfahrbaren Qualität entfernt, desto schwieriger wird es, sich erneut zu verlieben, denn man muss zunächst mit all den negativen Gefühlen kämpfen, die seinerzeit zum Ende der Beziehung geführt haben. Und in der Einsamkeit hat man diese Gefühle ins Monströse wachsen lassen, hat man sich völlig verhärtet, um sich ausreichend verteidigen zu können. Und das wieder abzubauen ist ein schwieriges, ermüdendes Unterfangen.

Insofern ist es wichtig, auf den Zeitpunkt zu achten, da unsere Gefühle sich zu verändern beginnen: von der Liebe zum Hass oder umgekehrt. Genau diese Augenblicke sind es, in denen uns karmische Herausforderungen vor mitunter sehr schwierige Situationen stellen. Jetzt müssen wir in den Spiegel schauen und begreifen, wer wir sind und inwieweit der Weg, den wir gegangen sind, wirklich der Unsere sein soll.

Die Erfahrung, sich zu verlieben, die Begegnung mit dem anderen, ist überdies die Probe darauf, ob wir einordnen können, welche unserer Überzeugungen wirklich in uns selbst wurzeln und welche bloße Ideen ohne jeden Tiefgang sind. Die Liebe und das sich Verlieben – ob nun erwidert oder nicht – sind stets besondere Ereignisse, die gefeiert werden sollten. Denn das schenkt uns, auch wenn es oft erst in zweiter Linie wichtig wird, Bewusstheit über uns selbst. In der Liebe begreifen wir unseren Lebensweg. Was wir dann aus dieser Bewusstheit machen, bleibt unserer freien Entscheidung überlassen.

Das Schicksal hält für uns die Begegnung bereit. Wie wir diese Begegnung leben, ist Sache unseres freien Willens.

Das Begegnungshoroskop

Der Augenblick, da sich zwei Menschen begegnen, ist gewiss ein magischer Augenblick, reich an Energie, im Kern gesättigt von dem Potenzial, das sich nun im Lauf der Beziehung entfaltet. Eine solch wichtige Erfahrung kann von der Astrologie nicht ignoriert werden. Und so betrachten wir jeweils auch die Augenblickshoroskope von Begegnungen.

Bei der Analyse einer Liebesgeschichte bringt das Horoskop der Begegnung beachtliche Klarheit. Es ist das Augenblickshoroskop für denjenigen Moment, da man zum ersten Mal das Gefühl hat, sich einem Menschen gegenüber zu sehen, mit dem man eine Gefühlsbindung eingehen möchte. Natürlich ist das nicht für beide Partner genau derselbe Moment. Deshalb haben wir häufig zwei Augenblickshoroskope. Das ist auch von der Logik her so in Ordnung, denn die beiden Partner haben fast durchweg einen unterschiedlichen Blickwinkel auf die Partnerschaft und verlieben sich oft zu unterschiedlichen Zeiten in den jeweils anderen.

Das Augenblickshoroskop der Begegnung gibt Auskunft über das tatsächliche psychologische und schicksalhafte Bild, das diese Beziehung für das Paar haben wird. Man könnte das Augenblickshoroskop der Begegnung auch als das Horoskop der »Beziehungsprägung« bezeichnen: Es gibt ins Einzelne gehende Hinweise auf die Projektionen und Konstruktionen, die der einzelne Partner in Bezug auf die Begegnung und Beziehung leistet, ebenso aber Hinweise auf die tatsächliche Tragweite der Beziehung. Das Augenblickshoroskop der Begegnung ist gewissermaßen eine Fotografie jenes magischen Augenblicks, der alle Entwicklungsmöglichkeiten der Beziehung in sich birgt.

Die Deutung dieses Augenblickshoroskops ist im Vergleich zur üblichen Radixdeutung nicht besonders schwierig. Es bedarf freilich einer gewissen Umsicht bei der Deutung, denn die Zeitangabe ist selten wirklich genau. Normalerweise hat man nur auf etwa eine halbe Stunde genaue Angaben. Die Deutung der einzelnen Horoskopfaktoren bleibt in diesem Zeitraum mehr oder minder dieselbe, auch wenn sie in einigen Punkten um Nuancen abweicht. Betrachten wir die Faktoren im Einzelnen:

- **Mond:** Hinweise auf das **Grundmotiv**, das zum Kontakt führt. Über die Mondposition versteht man, **warum** diese Beziehung für die betreffende Person wichtig ist.
- **Venus:** Die Venus verweist nicht etwa auf die Beziehung, sondern auf den **Beziehungspartner**, und zwar unabhängig von seiner Geschlechtszugehörigkeit. Die Venus symbolisiert die »Gegenseite« der Beziehung, jene Seite, die man sehr wenig kennt, die aber umso bestimmender wirkt.
- **Mars:** Mit Mars wird deutlich, wie viel **Wille** vorhanden ist, um die Beziehung voranzutreiben. Mars bezeichnet nicht das Motiv (das wird durch die Mondstellung herausgearbeitet), sondern die Energie, die auf den Aufbau und den Fortgang der Beziehung verwendet wird. Oft gibt Mars auch Hinweise auf die Besonderheit, auf **dasjenige**, durch das man sich angezogen fühlt.
- **Lilith:** Die Projektionen in negativer Hinsicht werden durch Lilith symbolisiert, **der angstmachende Schatten**, nämlich jene Beziehungsinhalte, die man nicht als die eigenen erkennt und die man in Krisenzeiten oder wenn man sich einfach nur unsicher ist ohne weiteres dem Partner zuschreibt.
- **Saturn:** Demgegenüber stellt Saturn die positiven Projektionen dar, **den schöpferischen Schatten**. Hier sind all die guten Dinge und Fähigkeiten versammelt, über die man verfügt, die man aber aus einer Reihe von Gründen – sei es bewusst, weil man unter allen Umständen Ähnlichkeit mit dem Partner anstrebt, sei es unbewusst, weil es einem an Selbstwertgefühl mangelt – dem Partner unterstellt. Das sind die Anteile, die es möglich machen, die Beziehung aufzubauen.
- **Aszendent-Deszendent-Achse:** Der Aszendent gibt Aufschluss über den Beginn, der Deszendent über die mögliche Konsequenz der Beziehung. Der Aszendent bezeichnet den Augenblick, da man sich verliebt, den Augenblick der Begegnung. Dieser Augenblick ist naturgemäß stets subjektiv und verlangt nicht nach einer Bestätigung durch den Partner. Der Deszendent hingegen verweist auf den Augenblick der Begegnung mit dem **Du**, mit dem möglichen Partner. Hier ist natürlich, wie bei jeder beliebigen Probe auf die Realität, auch das Auseinandergehen der Beziehung als Möglichkeit enthalten, der denkbare Zusammenbruch aller Illusionen.

Oft kann das Horoskop der Begegnung erklären, warum es trotz einer wunderbaren Synastrie und eines harmonischen Composits nicht für eine Paarbeziehung reicht, warum der Anfang nicht recht glücken will und es nicht zu einem Einverständnis der beiden Begegnungspartner kommt. Die Begegnung kann zu einer Zeit stattfinden, da ein Partner oder alle beide die Idee der Beziehung nicht auszubilden vermögen, da die jeweiligen Projektionen – und jede Beziehung besteht zu Beginn aus einer langen Reihe von Projektionen – es nicht gestatten, die Identität des anderen als mit der eigenen vereinbar zu erkennen. Man kann fast sagen, dass das Augenblickshoroskop der Begegnung eine unverzichtbare Bedingung für jede triftige und effiziente astrologische Partnerschaftsanalyse darstellt. Das Augenblickshoroskop der Begegnung ist die ganz persönliche Momentaufnahme der Begegnung, wenngleich aus zwei unterschiedlichen Perspektiven.

Natürlich liegt bei der Analyse des Begegnungshoroskops das Schwergewicht auf der Deutung der schnellen Planeten. Denn diese geben, wie wir zum Teil schon gesehen haben, Hinweise auf das Zukunftsbild der Beziehung und auf die Entfaltung dieser Zukunft. Die langsamer laufenden Planeten, die nahezu sicher dieselbe Stellung haben wie im entsprechenden Begegnungshoroskop des Partners, verweisen auf eher soziale und generationenspezifische Bedingungen der Beziehung. Das Begegnungshoroskop sagt gewissermaßen: »Das ist der Grund, warum wir einander begegnet sind, denn in dieser Zeit können wir einen Großteil der Möglichkeiten verwirklichen, die die Beziehung uns schenkt.«

Die Geschichte

Seit einigen Jahren war Gianni auf der Suche nach der wahren Liebe. Attraktiv, wie er war, verwirklichte er sich in seiner Arbeit, und er genoss seinen beruflichen und gesellschaftlichen Erfolg. Aber er wusste, dass in seinem Leben etwas fehlte. Er verspürte eine seltsame Unruhe. Er war es leid, Frauen zu begegnen, mit denen er nur ein paar Stunden oder allenfalls ein Wochenende verbrachte, um dann wieder da anzukommen, wo er schon vorher war: allein zu

Hause. Gianni war zutiefst einsam, obwohl ihm die Welt rundherum vollkommen und wunderbar hätte erscheinen müssen.

Eines Abends rief ihn ein alter Schulfreund an. Dieser befand sich wegen einer verwickelten Liebesgeschichte mit einer verheirateten Frau in einer Krise und bat ihn um Hilfe und Unterstützung. Sie verabredeten ein Treffen nach dem Abendessen, obgleich Gianni eigentlich keine besondere Neigung verspürte. Das Treffen fand in einem Straßencafé statt, in dem viele Leute in Giannis Alter verkehrten, meist Singles. Das Gespräch konzentrierte sich sofort auf das Problem von Giannis Bekanntem. Gianni erklärte ihm ohne Zögern, dass er diese Beziehung für eine Riesendummheit halte. Es sei unbegreiflich, wie sich ein Mann von 30 Jahren an eine Frau binden könne, die älter sei als er, verheiratet, mit Kindern und obendrein wirtschaftlich völlig von ihrem Ehemann abhängig. Seine Argumente ließen keine Erwiderung zu. Dann schweifte das Gespräch auf die bevorstehende Urlaubszeit ab, auf die Arbeit und auf gemeinsame Schulerlebnisse usw., bis schließlich Giannis Bekannter müde war und heimkehren wollte.

Alles in allem ein langweiliger Abend, dachte Gianni, aber er beschloss, die kühle Abendluft zu genießen, und bestellte noch etwas zu trinken. Unversehens fiel sein Blick auf eine Frau, und er war dermaßen betroffen, dass er sozusagen noch unter Schock zu der Frau hinging und sich mit einem Lächeln vorstellte. Er war selbst erstaunt über dieses ungewöhnliche Verhalten, das so gar nicht mit seiner fast sprichwörtlichen Zurückhaltung, was Gefühle anging, übereinstimmte. Aber er merkte doch sogleich, dass er einer ganz besonderen Frau begegnet war. Genau diese hatte er seit jeher gesucht. Gianni war aufgeregt und zugleich konsterniert. Sofort begannen sie ein vertrautes Gespräch miteinander, und ungewöhnlich rasch erfuhr Gianni, dass Eleonora – so hieß die Frau – verheiratet war, Kinder hatte, in rechtlichen und wirtschaftlichen Problemen steckte und dass sie im Augenblick keine ernsthafte Aussicht auf einen Job hatte. Aber all das schien ihm gar nicht wichtig. Gianni war verwirrt von der verführerischen Art Eleonoras. Er dachte an eine rasche Eroberung, vielleicht eine Affäre für einen Sommer. Doch in ihm wuchs zugleich ein tiefes Gefühl. Die Vertrautheit, in der sie ihr Gespräch begonnen hatten, berührte beide zu-

tiefst. Sie entdeckten, dass sie viele gemeinsame Interessen und Freunde hatten, und vor allem, dass sie dasselbe Ideal von Liebe hatten.

Gianni hatte die Predigt, die er seinem Bekannten nur wenige Stunden zuvor gehalten hatte, total verdrängt. Ohne sich zu besinnen, stürzte er sich in eine Beziehung, die binnen kurzem sein Leben völlig veränderte. Sie fingen an, sich häufig zu sehen, auch weil Eleonora zu Hause ihre eigenen Räume hatte und ihr Ehemann sehr beschäftigt war. Es wurde eine symbiotische Beziehung, besitzergreifend und gleichsam besessen gelebt. Die gemeinsame Sexualität erlebten die beiden als starkes Bindemittel für die Beziehung selbst.

Doch von Anfang an übernahm Gianni auch viel Verantwortung in ökonomischer Hinsicht. Und es waren nicht unbedingt nur Eleonoras Verpflichtungen. So verwaltete Gianni denn gewissermaßen eine Ehe, in der ungedeckte Schecks, unbezahlte Steuern, Schulden allerorten, moralische Verpflichtungen gegenüber den Kindern eine ziemliche Last ausmachten. Vor allem aber verstand Gianni nicht, was binnen weniger Monate mit seinem so brillanten Leben geschah. Die Zeit verstrich, und im Sommer darauf fasste Gianni einen Entschluss: entweder ganz mit mir oder ganz ohne mich! Eleonora hielt diese Forderung Giannis für übertrieben. Sie mochte sich nicht vorstellen, dass sie sich aus eigenem Entschluss zu einer gesetzlichen Scheidung durchringen und anderswo mit Gianni leben könnte.

Diese Haltung von Eleonora brachte Gianni dazu, geplagt von tausend Zweifeln, Schuldgefühlen und Meinungsänderungen, Schluss zu machen. Im Zug eines solchen Meinungswandels tauchte Gianni nach einem Monat bei Eleonora auf, bat um Vergebung und schlug vor, die Beziehung fortzusetzen. Aber Eleonoras Blick war verändert. Sie schaute woanders hin, gleichsam sichernd, sie erschien besorgt und furchtsam. Auf Giannis Nachfragen, was sie zu einem solchen Verhalten veranlasse, antwortete sie, dass ein neuer Partner in ihr Leben getreten sei. Ihre Sorge bezog sich darauf, dass der neue Mann in wenigen Minuten eintreffen werde. Sie fürchtete, dieser könne in Wut geraten, wenn er sie mit Gianni zusammen anträfe. In diesem Augenblick war wirklich Schluss. Gian-

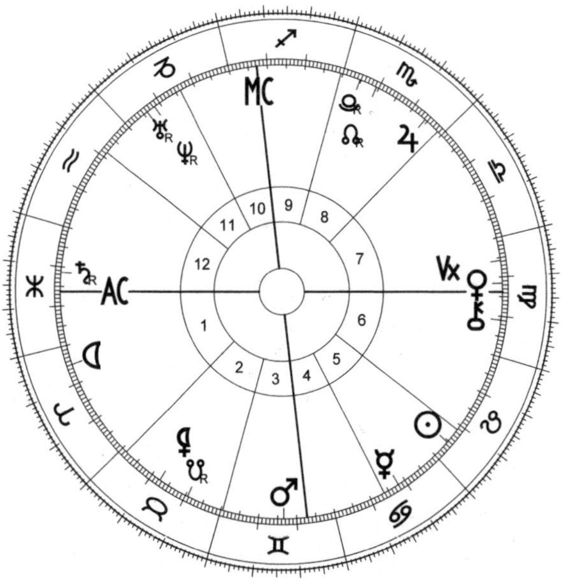

Abb. 10: Begegnung von Gianni und Eleonara

ni fühlte, wie sich ein Gewicht auf seine Schultern legte, wie er es noch nie zuvor erlebt hatte. Für lange Zeit verfiel er in Depression und lehnte jeden emotionalen Kontakt ab. Mit der Zeit fingen sie wieder an, sich bei Freunden zu treffen, wenn auch nur gelegentlich. Keiner trug dem anderen etwas nach, und manchmal half Gianni Eleonora weiterhin bei rechtlichen Problemen. Eleonora hatte zwischenzeitlich andere Verhältnisse, die auf mehr oder minder dieselbe Art endeten. Gianni war auch fünf Jahre später noch solo, konnte sich emotional aber durchaus auf eine neue Beziehung einlassen.

Das Augenblickshoroskop für den Moment, als Gianni und Eleonora sich kennen lernen, zeigt die Konjunktion von Saturn mit dem Aszendenten und zugleich die Opposition von Saturn zu Chiron.

Der Aszendent ist der Beginn der Beziehung. Diese ist unmittelbar durch eine Reihe von Verantwortlichkeiten, Schwierigkeiten und Verzichtsleistungen belastet. Das wird durch Saturn am Aszendenten vom 12. Haus her, dazu noch in Opposition mit Chiron aus dem 6. Haus, angezeigt. Die Opposition deutet zugleich an, wie bedrückend der Alltag der Beziehung gerät, vor allem als Gianni die Rolle des Lenkers, des Meisters übernimmt (Chiron schon in Konjunktion mit dem Deszendenten). Merkur und Sonne im 5. Haus können die lodernde Leidenschaft, das starke erotische Band in dieser Beziehung andeuten. Venus im 7. Haus im Trigon zu Neptun verweist auf die Affäre als solche. Freilich, es ist hier vor allem die Frau, die wahrscheinlich weit von jenem Bild entfernt ist, das sich Gianni von ihr gemacht hat. Die nachfolgenden Schwierigkeiten, die Beziehung zu entwickeln, sind durch die Opposition von Saturn mit der Venus im 7. Haus gegeben. Hier zeigen sich Deszendent und 7. Haus zugleich als Ende der Beziehung. Hinzu kommt das Quadrat zwischen Venus und Mars. Die Begegnung dürfte auch einen karmischen Aspekt haben, denn die Mondknotenachse und Saturn sind ganz besonders in die Dynamik des Horoskops eingebunden. Venus steht im Sextil zum nördlichen Mondknoten und zugleich in Opposition zu Saturn, Mars ist im Quadrat zu Saturn, und Pluto befindet sich in Konjunktion mit dem nördlichen Knoten.

6.
Die etwas andere Liebe

Niemand kann zwei Menschen voneinander fern halten,
die zueinander gehören und auf der Suche zueinander sind,
vielleicht schon seit langem und von weit her.
Pier Vittorio Tondelli

Wenn du lieben willst, bedeutet das zuerst Arbeit
Ovid

Die Erfahrung der Liebe ist universal und einheitlich. Aber die Wahl der Partner kann durchaus »abweichend« sein – entsprechend der sexuellen Ausrichtung sowie in Bezug auf das jeweilige Lebensalter.

Leider wird in unserer Gesellschaft jede Partnerwahl, die von dem Modell des gleichaltrigen heterosexuellen Paares abweicht, unter verschiedenen Gesichtspunkten als unnormal betrachtet. In einer solchen Beziehung sind viele Erfahrungen möglich, die derjenige, der sich weitgehend an das Ideal hält, nicht macht. Das »abweichende Verhalten« bezieht sich merkwürdigerweise oft aufs Bett, denn unterschwellig ist die sexuelle Abweichung weiter verbreitet als man glaubt. Sie trägt sowohl Gefühlsbeziehungen als auch rein sexuelle Beziehungen. Auch solche Beziehungen bergen ein beachtliches Potenzial an persönlicher Entwicklung. Gerade diese Beziehungen führen dazu, dass man in sich geht und aufzudecken versucht, ob man wirklich den Gefährten oder die Gefährtin ersehnt, ob die Beziehung wirklich etwas wert ist oder lediglich das Surrogat eines archetypischen Ideals. Die Prüfungen, die die Gesellschaft mit ihren Tabus dem »abweichenden« Paar auferlegt, sind im Grunde Initiationsriten. An ihnen wächst das Paar, mit ihnen begreift es, warum und auf welcher Basis man zusammen ist.

Jedes Paar, sei es heterosexuell oder homosexuell, gleichaltrig oder mit großem Altersunterschied, religiös-gläubig oder ungläubig, beginnt stets miteinander auf einer gemeinsamen Basis, nämlich der

Erfahrung der Liebe zueinander. Liebe kennt keinen Unterschied aufgrund des Geschlechts oder des Alters. Denn sie beruht auf einem Grundbedürfnis. Dieses freilich manifestiert sich auf der Basis von Grundrichtungen, die man in diesem Leben eingeschlagen hat, auf der Grundlage der sexuellen Orientierung. Es ist an dieser Stelle hilfreich, sich den Unterschied zwischen Sexualität und sexueller Orientierung klar zu machen. Die sexuelle Orientierung kristallisiert sich zu Beginn der Pubertät heraus, wenn sich der eigene emotionale und erotische Trieb auf eine bestimmte Gruppe von Menschen richtet. Sexualität hingegen ist die Art und Weise, in der sich ganz konkret in einer sexuellen Beziehung die eigene Libido manifestiert – und zwar in Verhaltensweisen, die als normal oder als abweichend betrachtet werden können, gemäß der sozialen, kulturellen und historischen Gegebenheiten. Isay, ein Psychoanalytiker, der die Dynamik homosexuellen Verhaltens ausführlich untersucht hat, erklärt, dass es das Ambiente ist, welches entscheidend die Art und Weise beeinflusst, in welcher sich Sexualität ausdrückt. Aber das Ambiente hat keinen relevanten Einfluss auf die sexuelle Orientierung. Die Art, in der sich die eigene Sexualität ausdrückt, entsteht aus komplexen sozialen und familiären Bedingungen. Die aber haben nichts mit der Wahl des Geschlechts zu tun, dem der gewünschte Sexualpartner angehören soll.

Aber sind jene Bedingungen lediglich sozial und familiär bestimmt oder auch karmisch? Und ist die Wahl der sexuellen Orientierung ein natürlicher psychologischer Prozess in diesem Leben oder hat sie ihre Wurzeln auch in vergangenen Leben? Auf diese Fragen gibt es keine einfache Antwort. Die Antworten können je nach den persönlichen Erfahrungen unterschiedlich ausfallen. Denn die Wahl eines Lebens in der Homosexualität kann aus ganz unterschiedlichen Motiven erfolgen. Die Psychologie hat bislang nur – und oft genug auf wenig glückliche Weise – versucht, Erklärungen zu geben, die freilich von der Komplexität der Erfahrungen selbst eingeholt worden sind, in ihrer emotionalen Tragweite unübersetzbar. Aus karmischer Sicht lässt sich die Wahl einer homosexuellen Orientierung auf das Bedürfnis der Seele zurückführen, eine Existenz zu erleben, die ihre Entwicklungskraft aus der gesellschaftlichen Konfrontation bezieht, aus dem Vorurteil, aus der Abwehr und zugleich aus dem Tabubruch, aber auch aus der persönlichen Authentizität, aus dem Kampf um ein Ideal – allesamt Erfahrungen, die vielleicht in vergangenen Leben auf lange Sicht unterdrückt wurden. Aber sie können von der Seele nur in einem Erdenleben, sozusagen in der ersten Person Einzahl und manchmal eben auch nur auf außergewöhnliche Weise gemacht werden. Die Erfahrung eines Lebens als Homosexueller oder die Erfahrung einer Liebe mit einem erheblich älteren oder erheblich jüngeren Partner stellt uns unausweichlich vor innere und äußere Prüfungen. Wer seine emotionalen Erfahrungen innerhalb des von der Gesellschaft vorgeschriebenen Kanons lebt, muss solche Prüfungen nicht bestehen. Das heißt nicht, dass die »Normalen« vom Glück begünstigt wären und nur in emotionaler Zufriedenheit schwelgten. Aber aufgrund eines dichter geknüpften Netzes an sozialen und familiären Beziehungen haben sie sicher weniger Probleme damit, ihre Partnerschaft zu strukturieren, und sei es nur aus praktisch-juristischer Sicht. Freilich, jede Lebensweise, die von der Norm abweicht, hält auch erfülltes, keinesfalls banales Erleben bereit. Es ist natürlich weniger Raum für den Kompromiss, für die Gewohnheit vorhanden: Man lebt seine besondere Wahl sehr bewusst. Eine besondere, »abweichende« Beziehung eröffnet uns auch neue Wirklichkeiten. Wir stoßen auf Gebiete vor, wohin zu gelangen die anderen normalerweise nicht einmal im Traum denken. Unsere Augen öffnen sich für unser besonderes Leben. Wir lernen, dass wir um alles zu kämpfen haben, was wir für wertvoll erachten. Wir leben so in einer Gefühlswelt, die selten soziale Sicherheiten verleiht. Aber deswegen sind Tiefe und Gemeinschaft nicht nur möglich, sondern sie werden offenbar geradezu gefördert.

Die existenzielle Herausforderung in der Wahl eines »abweichenden« Lebens liegt darin, dass man sich dem eigenen Schicksal gegenüber nicht wie ein Zuschauer verhalten kann, sondern dass man selbst auf der Bühne steht. Das Bewusstsein um die eigene Identität, die Entscheidung, nicht im unbewussten Dunkel des eigenen Daseins zu leben, fordert gewiss einen recht hohen Preis. Häufig erzeugt das Angst und Fluchtreflexe. Die Einsamkeit, die sich durch den Ausschluss von der Gesellschaft der »Normalen« ergibt, ist vielleicht die wichtigste karmische Erfahrung im Leben eines solchen Menschen. Nur in der Einsamkeit, in der Abwehr durch andere, in der Abweichung als solcher – und da geht es nicht nur um die Unterschiede in der Sexualität, sondern auch um die Unterschiede im Denken, im Leben, im Lieben – gewinnt dieser Mensch die ganz tiefe und echte Verbindung mit seinem Selbst. Und das Selbst, das ist der allerinnerste Kern unserer Persönlichkeit, der Leben für Leben zur Verfügung steht: Beobachter und Artist zugleich bei den Spielen, den Fallen, den Niederlagen, den Siegen, die wir Tag um Tag erleben.

Die anders gearteten Liebeserfahrungen erlebt manch einer von uns auch unabhängig von seiner sexuellen Orientierung. Es sind echte Prüfsteine. An ihnen öffnet man sich für ein tieferes Bewusstsein sowohl für sich selbst als auch für andere Menschen und für das Umfeld überhaupt. Es ist schwer zu verstehen, warum eine solche Liebeserfahrung so unversehens in unser Leben einbricht. Auch die Art und Weise, wie sich solch eine Erfahrung in ihrer Absicht kundtut, ist ziemlich verwirrend. Gewiss lädt uns eine solche Erfahrung zu einem Entwicklungsweg ein, der reich an Freuden und Leiden, aber niemals leer ist. Vielleicht werden auf einem solchen Weg diejenigen Nuancen des Lebens bewusst, denen wir bis dahin keine besondere Aufmerksamkeit geschenkt haben. Oft werden wir so überhaupt erst für das Leben empfänglich. Freilich, bevor das geschieht, müssen wir einige Proben bestehen, die genau dazu dienen, ein anderes Leben zu beginnen, ein Leben des Respekts gegenüber dem, was in uns steckt. Auf diese Weise wird jener Keim der platonischen Erinnerung in uns reif, die in jedem steckt und der uns dank seiner Einzigartigkeit unser ganz besonderes Leben verleiht.

Viele Psychologen glauben, in der homosexuellen Variante liege die seelische Unfähigkeit, dem wirklich anderen, von dem Homosexuellen sich unterscheidenden Menschen zu begegnen, weil dieser als Bedrohung empfunden werde. Beziehungen zwischen Menschen sehr unterschiedlichen Alters betrachten viele Psychologen als unbearbeiteten Ödipuskomplex. Aber in psychologischen Untersuchungen ist kaum die Rede von dem Wunsch, im gewählten Anderen wirklich ganz zu werden, ist kaum die Rede von der Achtsamkeit gegenüber den eigenen Antrieben. So gerät auch die Psychologie zum Opfer der Idealnorm, wenn sie versucht, die Varianten, die als abweichend bezeichnet werden, zu erklären. Sie ignoriert dabei fast völlig die innersten Gefühle. Diese freilich werden in der einschlägigen Belletristik umso eingehender beschrieben.

Ein Slogan auf einem Plakat für eine Schwulenparade vor einigen Jahren lautete: »Jede Liebe hat das Recht auf Existenz.« So sieht es auch der Dalai Lama, der bei einer öffentlichen Veranstaltung bekräftigte, dass es »keinen Akt der Liebe zwischen zwei Personen gibt, der verurteilt werden kann oder gar muss«. Natürlich kann es echte Liebe auch zwischen zwei Menschen mit großem Altersabstand geben. Deswegen muss man nicht irgendein ungelöstes frühkindliches Problem vermuten. Es geschieht vielleicht ganz einfach, dass der Partner in jenem Leib, in jenem Geist, der so viel älter oder jünger ist als er selbst, seine Ergänzung, sein Gegenüber findet. Und wahre Liebe geschieht ebenso zwischen Partnern, die sich von ihrer Kultur, ihrer Rasse, ihrer Religion her stark unterscheiden. Wenn sie die unvermeidliche Anfangsphase des Staunens, des Nichtbegreifens bewältigen, finden sie zu einer reichen, anregenden Beziehung. Wenn ihre Liebe echt ist, wenn sie füreinander Achtung und Respekt zeigen, wird auch eine Beziehung von langer Dauer möglich. Denn gerade in demjenigen, der ganz anders ist als wir selbst – und das muss nicht notwendig durch den Unterschied zwischen männlich und weiblich besiegelt sein –, gerade im Kampf um die Verteidigung der Liebe, an die man glaubt, werden wir zu Herren unseres eigenen Lebensganges, begegnen wir unserem Karma und, vor allem, wachsen und reifen wir. Wenn die echte Liebe wachsen darf, dann können zwei menschliche Potenziale zusammenwirken, die bis dahin verborgen waren, die keinen Ausdruck fanden und die jetzt, weil eben ein Gegenüber da ist, sich verwirklichen und sich zu ihrer vollen Ausreifung verbinden können.

So hat jede Liebe zwischen zwei Menschen, die einander begehren, das Recht, gelebt zu werden. Es gibt kein moralisches Gesetz, das sie daran hindern dürfte. Denn diese Verbindung ist auf einer höheren als der menschlichen Ebene vereinbart worden: Ehen werden im Himmel geschlossen, sagt das bekannte Sprichwort. Nicht nur die bürgerlichen, darf man hinzufügen.

Jeder von uns wählt zu Beginn seines gegenwärtigen Lebens den eigenen Entwicklungsgang. Und das heißt, dass er auch seine Liebesverbindungen wählt. Wenn er diese Entscheidungen unterdrückt, weil er sich vor dem Urteil anderer fürchtet, macht er nichts anderes, als auf seinem eigenen Entwicklungsweg anzuhalten. Liebe heißt Achtung vor dem anderen, aber auch Achtung vor sich selbst. Wenn solche Achtung echt ist, dann gibt es keine Beziehung, die zu leben man sich schämen müsste.

Homoerotik und die Astrologie

Im Blick auf das zuvor Gesagte muss man für die Astrologie festhalten, dass sie keinerlei Indizien für die weniger gewöhnlichen Beziehungen bereithält. Die Astrologie kann uns lediglich Erläuterungen darüber geben, wie jemand seine Sexualität lebt, wie jemand sich auf der erotischen Ebene auf seinen Partner bezieht. Aber sie kann uns nicht sagen, ob jemand grundsätzlich die homosexuelle oder die heterosexuelle Variante gewählt hat. Einigen Astrologen zufolge gibt es jedoch Konstellationen im Geburtshoroskop, die auf Homosexualität schließen lassen. Allerdings handelt es sich um Mutmaßungen, die einer eingehenden Untersuchung nicht standhalten. Denn dieselben Konstellationen findet man durchaus auch bei heterosexuell orientierten Menschen. Ein und dieselben astralen Determinanten können sich im einen wie im anderen Fall finden. Die Astrologie, und hier besonders das Geburtshoroskop, kann jedoch diese Wahl aus karmischer und entwicklungsorientierter Sicht erläutern. Wenn zum Beispiel im Geburtshoroskop eines Homosexuellen der Mond dominant und überdies in Opposition zum südlichen Mondknoten auf der Häuserachse 2 / 8 steht, ist es wahrscheinlich, dass die von dieser Person getroffene Wahl mit einer Entwicklungsnotwendigkeit zu tun hat: Die Welt der Gefühlsbeziehungen soll aus einem besonderen Blickwinkel wahrgenommen werden. Der Betreffende soll aus einer karmischen Sackgasse herausfinden, in die er sich in einem vergangenen Leben hineinmanövriert hat. Wahrscheinlich hat er sich rigide an eine ganz bestimmte vorurteilsbeladene Rolle gehalten und sich anderen Beziehungsmöglichkeiten strikt verschlossen. Nur mit einer direkten, starken Erfahrung kann er nun weiterkommen und seine eigenen Gefühlsqualitäten wieder freisetzen.

Es ist wichtig, dass sich der Astrologe ohne irgendein Vorurteil mit dem Geburtshoroskop beschäftigt. Es ist außerdem reine Zeitverschwendung, nach irgendwelchen astrologischen Begründungen zu suchen, die eine bestimmte sexuelle Orientierung nahe legen. Die Aufgabe des Astrologen besteht vielmehr darin, die Beziehungsdynamik bei einem entsprechenden Klienten zu analysieren und die seelischen, karmischen und entwicklungspsychologischen Motive zu klären, aus denen heraus der Ratsuchende bestimmte Beziehungen anknüpft. Gegebenenfalls kann der Astrologe seinem Klienten dabei helfen, Wiederholungsmuster, die dem Klienten nicht mehr hilfreich sind, zu verwandeln. Abgesehen davon: Egal ob es sich um eine heterosexuelle oder eine homosexuelle Beziehung handelt, so liegt es gewiss nicht an der jeweiligen sexuellen Orientierung, wenn irgendetwas nicht so läuft wie es sollte oder wenn etwas innerlich Schmerzen bereitet, sondern daran, dass es an bestimmten Haltungen fehlt, etwa an Selbstwertgefühl, Vertrauen in andere Menschen, positive Einstellung gegenüber den Wechselfällen des Lebens und gegenüber der Zukunft. All diese Haltungen beeinflussen in verschiedener Weise auch die zwischenmenschlichen Beziehungen, insbesondere im Blick auf deren Dauer und Zukunft. Unser Schicksal ist die Begegnung mit einem ganz bestimmten Menschen. Wie wir die Beziehung gestalten und wie sie sich entwickelt, ist zu einem großen Teil Sache unserer freien Entscheidung. Und so unterliegt es auch unserer freien Entscheidung, wie wir die Faktoren unseres Horoskops aufeinander beziehen, wie wir sie leben.

Die Geschichte

Es war mitten im Hochsommer, die Stadt war so gut wie leer. Gianluca war es leid, den soundsovielten Sommer allein zu verbringen. Seine Freunde waren alle zu exotischen Zielen aufgebrochen oder sie waren bei ihren Lebensgefährten. Die Alternative wäre der nächste Schwulenstrand gewesen. Aber das lockte Gianluca nicht. Das einzige Vergnügen abends bestand in einer Disco, wo man immer mal jemanden für ein flüchtiges Sexabenteuer aufgabeln konnte. Das bedeutete natürlich nicht gerade Anregung auf emotionaler Ebene. Gianluca befand sich in einer Gefühlskrise, die zugleich eine Existenzkrise war. Er hatte keinen Partner, und er sah nicht einmal von fern eine Perspektive, die ihm einen festen Job verheißen hätte. Die bisherige Bilanz seines Lebens war nicht gerade ansehnlich. Das hatte auch mit den zwei Partnerschaften zu tun, die er in den vergangenen Jahren erlebt hatte. Sie hatten ungut geendet. Eines Abends ging er mit dem einzigen Bekannten, der noch in der Stadt war, in sein Stammlokal, um sich etwas zu zerstreuen. Man lauschte dem Pop der Siebziger und lästerte über die bunte Kitschmode, nach der mancher Lokalgast gekleidet war. Mehr war nicht, weit und breit kein Partner auch nur für einen One-Night-Stand. Nach einigen Runden durch das Lokal bemerkte Gianluca, wie ihn ein Junge beobachtete. Aber er fühlte sich nicht von dem Jungen angezogen, und so fuhr er fort, sich mit seinem Bekannten umzuschauen. Schließlich beschlossen die beiden, sich an einem Tisch im hinteren Teil des Lokals niederzulassen. Sie sprachen über die üblichen Dinge, und Gianluca bemerkte erneut, wie ihn der Junge von vorhin anstarrte. Diesmal war noch jemand dabei. Gianluca betrachtete diesen anderen mit Interesse, und in einem merkwürdig unentschiedenen Spiel wechselten sie nun Blicke zu viert. Eine Konversation entspann sich, und nach kurzer Zeit beschlossen sie, den Abend gemeinsam woanders zu verbringen. Marco, so hieß der Junge, der Gianluca zuerst angeschaut hatte, bemühte sich recht eifrig, mit Gianluca in Kontakt zu kommen. Aber der reagierte mehr gelangweilt als erfreut. Er fühlte sich einfach nicht von Marco angezogen, und fand dessen Bemühungen eher störend. Schließlich entfernten sich die beiden jeweiligen Bekannten und ließen Gianluca und Marco allein. Marco verhielt sich immer sanfter. Aber er wollte offenbar doch Gianluca nicht lassen, ohne ihn wenigstens geküsst zu haben. Seine Beharrlichkeit und vielleicht auch seine Einfühlsamkeit, mit der er den ganzen Abend über Gianluca den Hof gemacht hatte, brachten diesen dazu, sich von Marco liebkosen zu lassen. Einen Großteil der Nacht verbrach-

ten sie in einer sanften Umarmung. Als sie heimgingen, entschied Gianluca sich jedoch dagegen, Marco seine Telefonnummer zu geben. Trotz der schönen Stunden konnte Gianluca seiner Entscheidung vertrauen. Marco schien enttäuscht, sagte aber nichts.

Am folgenden Abend ging Gianluca erneut mit dem Bekannten in seine Stamm-Disco. Sie tauschten die Einzelheiten ihres Abenteuers vom Abend zuvor aus. Kaum dass sie saßen, tauchte von fern Marco auf. Er war ganz gefangen genommen von der Suche nach jemandem. Sofort bat Gianluca seinen Bekannten, das Lokal zu wechseln, und er versuchte sich zu verstecken. Er wollte nicht gesehen werden, wollte sich nicht den Abend mit jemandem verderben, der ihn einfach nicht interessierte. Nach wenigen Minuten freilich begann er ein Gespräch mit einem anderen Bekannten und vergaß völlig Marcos Anwesenheit. Der freilich gab sich nicht geschlagen. Er stellte sich nach kurzer Zeit den beiden mit einem wunderschönen Lächeln vor und lud sie anschließend zu seinen Freunden ein, um etwas zu trinken. In Gianluca tobten die Emotionen: Wut angesichts von so viel Impertinenz, aber auch Freude über Marcos Verhalten, das ihm vor den Augen der anderen schmeichelte. Die Freunde der beiden begriffen, dass es Zeit war, die zwei allein zu lassen. Mit einer Entschuldigung zogen sie sich zurück. Marco und Gianluca blieben und betrachteten sich schweigend. Das stille Erstaunen wurde durch einen Kuss unterbrochen. Marco nahm Gianluca bei der Hand. Gemeinsam gingen sie zu dem Strand, wo sie schon die Nacht zuvor gewesen waren. Ganz sanft machten sie Liebe miteinander, es gab keinerlei Drängen. Als er heimkehrte, spürte Gianluca, dass in ihm etwas verwandelt war. Aber er hatte noch nicht den Mut, sich einzugestehen, dass Marco ihm gefiel und offenbar für ihn tiefe Gefühle hegte. Ihn überkam eine seltsame Hitze. Er spürte eine Vertrautheit, die er nicht begriff. Doch er fühlte sich ganz anders und viel enger an Marco gebunden.

Am darauf folgenden Tag frage Marco, ob er mit Gianluca ein paar Tage außerhalb der Stadt verbringen könne. Gianluca stimmte enthusiastisch zu. Es waren schließlich seine ersten Ferien seit langem, und das aufgrund einer Liebesbeziehung. Von diesem Zeitpunkt an begann die eigentliche Beziehung zwischen den beiden. Ihre Partnerschaft wurde zu einer echten gegenseitigen Unter-

stützung. Marco half Gianluca vor allem bei den ganz praktischen Seiten des Lebens. Genau das aber wiederum brachte Marco dazu, mehr Sicherheit und Selbstbewusstsein zu entwickeln. Marco konnte, auch aufgrund einer stützenden und begleitenden Psychoanalyse, seine vielen kleinen und großen Zwänge bearbeiten, seine Furchtsamkeit, die auf Ängste und Depressionen zurückging.

Die Beziehung der beiden dauert inzwischen acht Jahre. Es gibt manche Höhepunkte, auch manche Tiefpunkte – Zeiten, in denen Gianluca sich als der Gefangene von Marcos großer Abhängigkeit fühlt. Dann freilich zeigt Marco wiederum heterosexuelle Neigungen. Die Zweifel, die damit aufkommen, werden jedoch nie durch Tatsachen bestätigt. Gleichwohl ist die sexuelle Beziehung zwischen ihnen lebendig und zufrieden stellend. Das gilt ebenso für die Gefühlsbeziehung. Marco ist es freilich leid, sich als »homosexuell« zu definieren. Dennoch untergräbt das nicht ihre Partnerschaft, und Gianluca glaubt denn auch nicht an Marcos heterosexuelle »Fantasien«. Die seltsamste Tatsache bei dieser Beziehung ist das gewandelte Verhalten Gianlucas was Arbeit und Karriere betrifft. Er hat inzwischen einige Male attraktive Arbeitsangebote in entfernten Städten ausgeschlagen, weil er fürchtet, wegen der Entfernung Marco zu verlieren. Gianluca sagt selbst, keineswegs mehr erstaunt: »Ich kann mir ein Leben ohne Marco heute gar nicht mehr vorstellen. Was er für mich getan hat, hat noch nie jemand getan. Und ich weiß nicht, was aus mir würde, wenn unsere Beziehung endete.« Im Übrigen hat auch Gianluca sehr viel für Marco getan. Er hat ihn dazu gebracht, besser nach sich selbst zu schauen, sich von seinen guten Seiten zu zeigen. Und vor allem: Er hat ihn in dem Glauben bestärkt, dass eine gemeinsame Zukunft keine Utopie, sondern Wirklichkeit ist, die täglich erfahren werden kann.

In der Analyse der Synastrie bei Marco und Gianluca fällt sofort die Konjunktion der Mond-Positionen im Zeichen Zwillinge auf. Dieser Interaspekt führt sicher zu einem tiefen emotionalen Einklang. Die beiden fühlen gewissermaßen auf derselben Wellenlänge. Ein gutes geistiges und verstandesmäßiges Einverständnis ist auch durch das Trigon der beiden Merkur-Positionen gegeben.

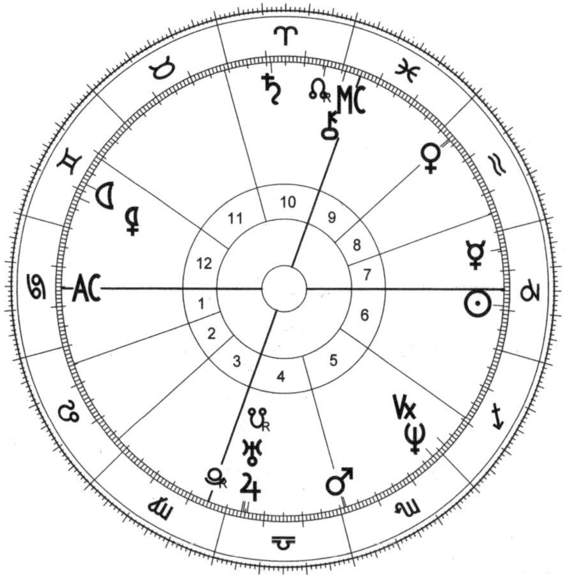

Abb. 11: Gianluca (Ehepunkt 4° Zwillinge)

Gianlucas Merkur steht außerdem im Trigon zum Saturn und zum Pluto bei Marco. Bei diesen Aspekten lässt sich ein dauerhaftes Einverständnis erwarten. Die anfänglichen Schwierigkeiten und die Zurückweisung – ausgeübt durch Gianluca und entsprechend von Marco erlebt – lassen sich astrologisch auf die wechselseitigen Spannungsaspekte zwischen Venus und Saturn zurückführen: Venus von Gianluca im Quadrat zu Saturn von Marco und umgekehrt Venus von Marco in Opposition zu Gianlucas Saturn. Die denkbare karmische Dimension dieser Beziehung lässt sich aus der Oppositionsstellung der beiden Vertex-Punkte erschließen. Hier sind durch Aspekte auch die jeweiligen Mondknoten-Achsen einbezogen.

Das Composit zeigt eine Opposition von Sonne und Saturn, was wiederum das anfängliche Misstrauen, die anfänglichen Schwierigkeiten zu erklären vermag. Ähnlich kann die Opposition von Mond und Venus aufgefasst werden. Die gute Konstellierung jedoch von Jupiter mit Venus (Sextil) und die Verbindung von Sonne

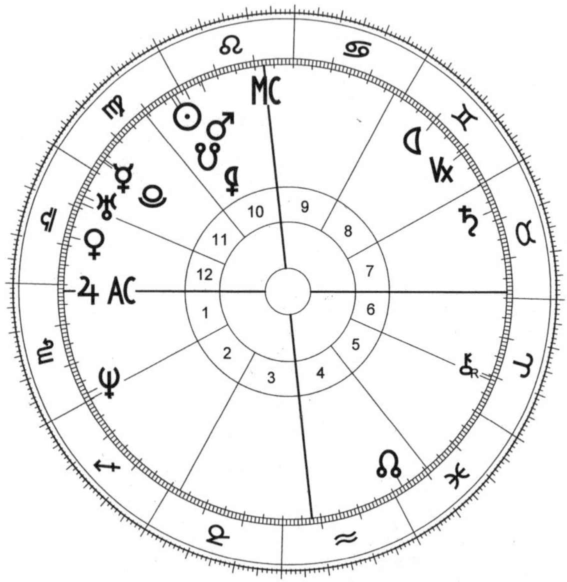

Abb. 12: Marco (Ehepunkt 15° Stier)
Abb. 13: Synastrie Marco (innen) und Gianluca (außen)

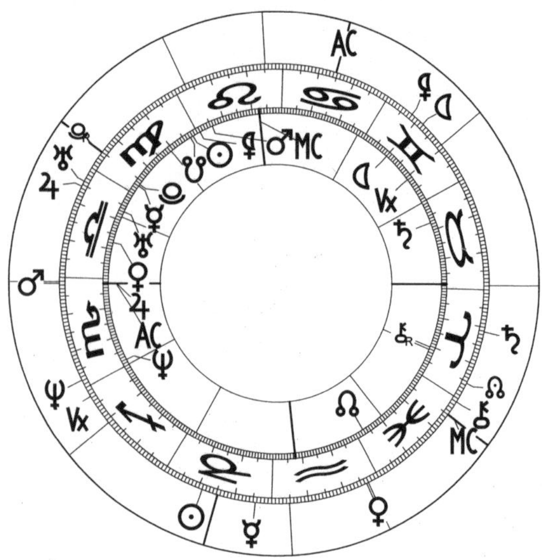

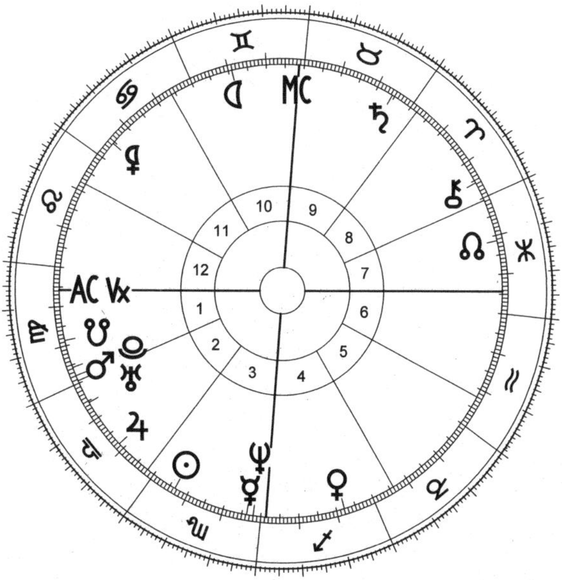

Abb. 14: Composit Marco und Gianluca

und Venus (Halbquadrat) begünstigen die Bewältigung der vielfachen Probleme sowohl am Anfang der Beziehung als auch in ihrem Fortgang. Das, was gut in der Partnerschaft ist, wird gesichert, wird konsolidiert (Jupiter im 2. Haus).

Der nördliche Mondknoten steht im 7. Haus, eine Stellung, die das Zusammengehen sicherlich fördert. Beide Partner freilich leben die Beziehung nicht nur auf der Ebene eines erotischen und emotionalen Vergnügens. Hinzu kommt, dass die Partnerschaft Wachstum und wechselseitige Unterstützung angesichts der verschiedenen Herausforderungen bedeutet, die ihnen das Leben stellt.

Schluss

Ein Märchen aus Birma erzählt die traurige Geschichte eines jungen Paares, dessen Liebe von den Eltern verboten wird. Deshalb verlieren beide ihr Leben. Die jungen Leuten lebten in zwei benachbarten Dörfern und lernten sich auf einem Fest kennen. Ihre Beziehung wurde jedoch sofort von den Eltern bekämpft. Jede Begegnung der beiden wurde unterbunden. So beschloss das junge Paar, gemeinsam zu fliehen. Doch bevor sie sich aus ihren Dörfern entfernen konnten, wurden sie überrascht. Der junge Mann musste ganz aus seiner Heimat fliehen, weil seine Handlung ein Verbrechen darstellte, das mit der Verbannung bestraft wurde. Die junge Frau wurde von den Eltern dazu gezwungen, einen anderen Mann zu heiraten.

Auch wenn sie ihrem Mann eine gute Ehefrau wurde, so war doch ihr Gemüt von einer sanften Trauer durchweht. Das eheliche Zusammenleben war ausgeglichen, doch sie wurde nicht schwanger. Nach fünf Jahren kehrte ihr junger Geliebter von damals heim, schwer krank, und er starb nach wenigen Monaten, ohne seine Geliebte wiedergesehen zu haben. Als sie die Nachricht von seinem Tod erhielt, verfiel sie in tiefe Schwäche. Alles, was man ihr anbot, wies sie zurück, und sie verzehrte sich langsam. Nun freilich wurde sie schwanger. Einige Monate vor ihrer Niederkunft hatte sie einen Traum. Sie sah, wie ihre Seele den Leib verließ und gen Himmel schwebte, um der Seele ihres Geliebten zu begegnen, der kurz zuvor gestorben war. Sie erlebte unbändige Freude, als sie wieder mit ihm vereint war. Doch zugleich überfiel sie auch tiefer Schmerz, wenn sie daran dachte, dass sie wieder in ihren Leib zurückkehren müsse. So kam sie auf die Idee, dass ihr Geliebter sich in der Frucht ihres Leibes wieder verkörpern möge. So könnten sie zusammen leben. Die Seele ihres Geliebten war ganz im Glück und nahm mit Freuden den Vorschlag an. Als die junge Frau wieder erwachte, behielt sie diesen Traum wohl im Gedächtnis, sprach aber zu niemandem davon. Doch ihre Freude war so groß, dass nun jeder sehen konnte, wie es ihr von Tag zu Tag besser ging und ihre Kräfte zurückkehrten. Jeden Morgen begab sie sich nun zum Tempel und opferte dem Buddha Blumen und Räucherwerk für eine glückliche Geburt. Als ihre Zeit erfüllt war, gebar sie einen Sohn, doch das Kind starb nach wenigen Atemzügen. Die verzweifelte Frau starb wenige Zeit später an den Folgen der Geburt, doch sie hatte noch Gelegenheit, den Traum zu erzählen, den sie einige Monate zuvor gehabt hatte. Sie nannte sich glücklich, sterben zu dürfen, denn endlich konnte sie ihre Seele mit der ihres ersten und einzigen Geliebten verbinden.

Dieses Märchen sollte uns dazu anregen, über die Macht gewisser Bindungen nachzusinnen und zu bedenken, was sich zutragen kann, wenn eine Bindung bekämpft wird. Leider verhindern nur zu oft Vorurteile und einseitige Interessen, dass zwei Menschen sich in völliger Freiheit und Offenheit lieben dürfen. Wenn man ein Urteil, das noch nicht einmal einseitig sein muss, fällt, welches die Verbindung zweier Menschen zu verhindern geeignet ist, begeht man eine Handlung, deren Folgen äußerst schmerzlich sein können, weil das Universalgesetz der Liebe missachtet wird. Gewiss sind häufig die Probleme und Gefahren einer Beziehung offenkundig. Aber auch in einem solchen Fall muss man sich vor einem Eingriff in die Beziehung fragen, ob man denn zu Recht eingreift. Und nur, wenn wir sicher sind, aufrichtig zu handeln, können wir bescheiden unseren Rat anbieten. Wenn wir freilich das Hindernis für eine Verbindung nur in unserem Vorurteil sehen, dass zwei Menschen derselben Rasse, demselben Glauben und natürlich zwei unterschiedlichen Geschlechtern angehören müssen, damit sie sich lieben dürfen, dann können wir Grund für eine böse Ungerechtigkeit liefern. Aus karmischer Sicht kann dies Auswirkungen haben. Uns kann im gegenwärtigen Leben eine ähnliche oder nahezu identische Beziehung widerfahren, wie wir sie zuvor bekämpft haben, oder in künftigen Leben können wir Menschen begegnen, die uns

Hindernisse in den Weg legen oder uns glauben machen, dass wir auf Gefühlsebene eine falsche Wahl getroffen hätten.

Keine Urteile zu fällen ist vermutlich der echte und authentische Beleg für unsere seelische und spirituelle Reife. Dann sind wir im Einklang mit der Lehre vom Karma. Es ist an uns, die Verantwortung für ein neues Leben zu übernehmen, das freier ist, das in Harmonie mit dem Universum steht. Damit legen wir auch die Basis für ein künftiges Gefühlsleben, das ausgeglichener und befriedigender ist. Und vor allem erreichen wir so jene Glückseligkeit, die sich, wie der Weise Kantideva sagt, nur dann finden lässt, wenn wir bewusst und selbstlos das Wohlergehen anderer Menschen anstreben.

Danksagung

Dieses Buch ist aus einer Idee geboren, mit der ich schon seit Jahren umgehe. Dank der Anregung und Unterstützung durch Freunde und Schüler und ebenso dank des Engagements des Verlegers erblickt dieses Buch nun das Licht der Welt.

Vor allem zwei unermüdlichen Unterstützerinnen möchte ich meine allergrößte Ehrerbietung erweisen: Adriana Amendola und Elena Di Ruzza. Ein wahrer Engel hat mich bei der Erarbeitung, der Niederschrift und der Korrektur dieses Buches unterstützt, ein Engel, ohne den ich in den letzten Jahren kaum etwas zuwege gebracht hätte. Es handelt sich um Maria Luisa Zuccalà. Ich frage mich, ob unsere Begegnung für sie die Erfüllung einer karmischen Verpflichtung ist, der sie in großer Geduld nachkommt.

Dankbar bin ich weiterhin all denen verbunden, deren Horoskope ich erarbeiten und deren Lebenswegen ich nachgehen durfte. Ich konnte ihnen helfen, ihre Gefühle bewusster zu leben. Ich habe sehr viel von ihnen gelernt. Vor allem habe ich dabei erkennen dürfen, dass die emotionale Wirklichkeit zahllose Facetten zeigt, die es alle wert sind, gelebt und angenommen zu werden.

In diesem Buch ist von Beziehungen die Rede. Ohne Beziehungen wäre dieses Buch nicht zustande gekommen. So möchte ich Dank sagen an Maria Rita Parsi, Annamaria Lombardi, Ivan Cattaneo, Rosanna Zerilli, Bianca Pacia, an meine Schwester Milena, an meine Eltern, an Romeo De Meis, Mariella Poceck, Rolando Romano, Stefano Nenna, Francesco Karim Abed, Alfonso Maria di Nola, Maria Vittoria Boni, Grazia Bordoni, Barbara Ferrari und an viele andere. Ihnen allen danke ich, weil ich mit ihnen einzigartige Erfahrungen machen durfte. Sie waren in einigen sehr dunklen Zeiten meines Lebens zur Stelle.

Seine endgültige Fassung erhielt dieses Buch durch die Begegnung mit Gabriele Galimberti, der mir an einem Frühsommerabend die Klarheit und die nötige Stärke gab, sodass ich aus der Sackgasse, in der ich seinerzeit steckte, herausfand.

Danken möchte ich zum Schluss ebenso innig Gianni und Mirella Canonico. Zwischen uns herrschte von Anfang an Wärme und Sympathie und ich durfte mich stets als Mitglied ihrer Familie fühlen.

Rom, Oktober 2000

Literatur

Aimé, J.: La lune noire, un monde interdit (»Lilith, die verbotene Welt«). Ed. Du Rocher. München 1991.

Andrieu, I.: Karma im Horoskop. Hugendubel München 1989

Andrieu, I.: L'arbre genéalogique et karmique. (»Der genealogische und der karmische Baum«) D'Angles, S. Jean de Braye 1992.

Arroyo, St.: Astrologie, Karma und Transformation. Hugendubel. München 1980 u.ö.

Arroyo, St.: Astrologie und Partnerschaft. Hugendubel. München 1983 u.ö.

Aubier, C.: L'astrologie et la vie affective. (»Astrologie und Gefühlsleben«) L'Espace Blue. Paris 1993.

Baldaro Verde J.: Illusioni d'amore (»Täuschungen der Liebe«). Cortina. Milano 1998

Baldini, R.: Der Aszendent der Seele. Chiron Verlag. Tübingen 2000.

Bertholet, E.: La reincarnazione nel mondo antico (»Reinkarnation in der Antike«). Edizioni Mediterranee. Roma 1994.

Bordoni, G.: Tecnica astrologica (»Astrologische Technik«). Armenia. Milano 1989.

Capone, F.: Astronomia oroscopia (»Astronomie für Astrologen«). Capone. Torino 1977.

Carotenuto, A. Eros e pathos (»Eros und Leidenschaft«). Bompiano. Milano 1987.

Carotenuto, A.: Amare Tradire (»Liebe und Verrat«). Bompiano. Milano 1991.

Crimaldi, P.: Chiron, der innere Lehrer – Entwicklungsaspekte im Horoskop, Chiron Verlag, Tübingen 2002

Crimaldi, P.: Iniziazione all'astrologia karmica. Edizioni Mediterranee. Roma 1998.

De Botton, A.: Versuch über die Liebe. S. Fischer Frankfurt 1997.

De Longchamps, M.T.: Nodi lunari e luna nera (»Lilith und die Mondknoten«). Edizioni Mediterranee. Roma 1997.

Elkaim, M.: »Se mi ami, non amarmi« (»Wenn Du mich liebst, lass mich lieber los«). Boringhieri. Torino 1992.
Giusti, E.: L'arte di separarsi (»Die Kunst, sich zu trennen«). BUR. Milano 1986.
Greene, Liz: Kosmos und Seele – Ein astro-psychologischer Ratgeber. S. Fischer, Frankfurt 2001
Hall, J.: Das Geheimnis karmischer Verbindungen. Edition Astroterra. Wettswil 1997.
Hand, R.: Planeten im Composit. Astrologie der Beziehungen. Papyrus Verlag. Hamburg 1982.
Hillman, J.: »Il codice dell'anima« (»Code der Seele«). Adelphi. Milano 1997.
Hopcke, R.H.: Zufälle gibt es nicht. Synchronizität. Limes. München 1997.
Horus: Astrologia di relazione. (»Astrologie der Beziehungen«). Astrolabio. Roma 1983.
Isay, R.A.: Essere omosessuali (»Schwul sein«). Cortina. Milano 1996.
Jung, C.G.: (Gesamtwerk). Olten Walter Verlag
Lassalle, P.: L'astrologie relationelle (»Partnerschaftsastrologie«). De Vecchi. Paris 1988.
Lassalle, P.: L'astrologie initiatique et karmique (»Initiatische und karmische Astrologie«). De Vecchi. Paris 1989.
Lönnerstrand, S.: Iniziazione alla reincarnazione (»Einführung in die Lehre von der Wiedergeburt«). Edizioni Mediterranee. Roma 1999.
Meyer, M.R.: L'oroscopo della coppia (»Das Horoskop der Beziehungen«). Mursia. Milano 1981.
Murray, R.: Quando troveró l'amore. (»Wenn ich einmal der Liebe begegne...«) Polillo. Milano 1996.
Norwood, R.: Frauen, die zu sehr lieben. Die heimliche Sucht, gebraucht zu werden. Rowohlt Verlag. Reinbek bei Hamburg 1986 u.ö.
Pandolfi, G.: L'astrologia della trascendenza. (»Astrologie der Transzendenz«). Maki. Brescia 1996.
Parsi, M.R.: L'amore dannoso (»Liebe, die schadet«). Mondadori. Milano 1999.
Rognoni. A.: Sinastrie amorose (»Der astrologische Partnervergleich und die Liebe«). Xenia. Milano 1989.
Ruperti, A.: Kosmische Zyklen. Verlag Hier und Jetzt Hamburg 1978.
Scanavino, M.: L'oroscopo karmico. (»Das karmische Horoskop«). Capone. Torino 1993.
Schellenbaum, P.: Das Nein in der Liebe. Abgrenzung und Hingabe in der erotischen Beziehung. dtv. München 1995.
Schulman, M.: Karmische Astrologie. Urania. München 1982.

Stone, P.: Relationships, Astrology and Karma. (»Beziehungen, Astrologie und Karma«) The Aquarian Press. London 1991.
Townley, J.: Composite Chart (»Das Composit«). Weiser. New York 1974.
Whitmont, E.C.: La dimensione simbolica (»Die Dimension des Symbols«). Astrolabio. Roma 1982.
Winnicott, D.W.: Reifungsprozesse und fördernde Umwelt. Psychosozial-Verlag. Gießen 2001.
Yott, D.H.: Astrologie und Reinkarnation – Die lange Reise der Seele. Verlag Hier und Jetzt, Hamburg 1994.

PAOLO CRIMALDI

Chiron, der innere Lehrer

Entwicklungsaspekte im Horoskop
59 Seiten, kartoniert

ISBN 3-925100-48-2

Da Chiron ein Lehrer ist, ist in ihm bereits der Entwicklungsaspekt angelegt. Er hilft uns zu wachsen, auf unser Leben zu achten, ständig im Hier und Jetzt zu leben, ohne aber auf vergangene Erfahrungen oder Zukunftsaussichten zu verzichten. Er führt uns auf der Suche nach dem inneren Licht und lässt uns den Kontakt zu unserem Selbst und zu unserer existentiellen Einsamkeit finden. Die Lehre dieses Planeten für unsere Entwicklung besteht darin zu zeigen, wie wir uns mit uns selbst wohlfühlen, uns selbst die nötige Wärme und Liebe für ein Leben in Harmonie mit der Umwelt geben können. Dies ist eine subversive Botschaft, denn sie stellt die Selbstliebe vor die Nächstenliebe und räumt auf mit dem Klischee der grenzenlosen Liebe für den Anderen, in der man die Eigenliebe vergisst.

Zusammenfassend: ein kurzes, nur knapp 60 Seiten umfassendes Buch, das einen guten Überblick zur Chiron-Thematik gibt, verständlich geschrieben ist und zu einem umfassenden Blick auf Chiron beiträgt.

CHIRON VERLAG

Standardwerke der Astrologie

LIZ GREENE

Dreiecksbeziehungen

Astrologie in Beziehungskonflikten
174 Seiten, 7 Abb., Broschur

ISBN 3-925100-65-2

Dieses Buch zeigt Ihnen, wie Sie aus dem Horoskop lernen können, eine Dreiecksbeziehung als aufrichtige Prüfung zu nutzen. Meistens versuchen wir Dreiecksbeziehungen aus dem Weg zu gehen, denn sie konfrontieren uns mit schmerzhaften Emotionen. Geraten wir in ein Beziehungsdreieck – sei es als Betrüger, als Betrogener oder als Objekt des Betrugs – so hat dies häufig einen tieferen Sinn. Neben den sexuellen Dreiecksbeziehungen unter Erwachsenen, gibt es weitere mögliche Verhältnisse. Das Familien-Dreieck steht meist am Anfang und hat oft lange Nachwirkungen. Es gibt aber auch Dreiecksbeziehungen zwischen Freunden oder einem nicht menschlichen Faktor so z.B. die Hingabe des Anderen an die Arbeit oder an spirituelle Bestrebungen. Häufig gibt es auch Schutz- oder Macht-Dreiecke oder Dreiecksbeziehungen als Mittel zur Erlangung des Unerreichbaren. Ausgehend von diesen universellen Erwägungen betritt Liz Greene ein neues Gebiet. Sie ergründet, ob es bestimmte Faktoren im Horoskop gibt, die auf eine Dreiecks-Tendenz schließen lassen. Ebenso geht sie der Frage nach, warum manche Menschen eher als andere in derartige Verhältnisse verwickelt werden und was sie dazu antreibt. Neben diesen lebenspraktischen Themen zeigt sie, welche Herangehensweise Ihnen einen kreativen Umgang mit Dreiecksbeziehungen ermöglicht und welche Hilfestellungen Sie dazu aus dem Horoskop erhalten.

CHIRON VERLAG

Standardwerke der Astrologie

LIZ GREENE

Das Composit

Im Horoskop das Wesen
von Beziehungen erkennen
176 Seiten, 4 Abb., Broschur

ISBN 3-925100- 75-X

Wenn wir ein Composit-Horoskop betrachten, stellen wir uns nicht die Frage, was die Partner gegenseitig füreinander empfinden. Wir interpretieren das Energiefeld, das sie zwischen sich erschaffen – die Identität der Beziehung. Wir haben bestimmte Verhaltensmuster, wenn wir allein sind. Zusammen mit unserem Partner entsteht sofort eine dynamische Energie, die unser Verhalten beeinflusst. Dies lässt sich am Composit sehr leicht ablesen, welches aus den Einzelhoroskopen der Partner erstellt wird.

Das Besondere an diesem Buch ist der praktische Ansatz. Nicht die Beschreibung der möglichen Konstellationen und Planetenverbindungen steht im Vordergrund. Liz Greene zeigt vielmehr, wie man mit dem Composit gewinnbringend umgeht und welche Möglichkeiten es dem Leser eröffnet. Es wird deutlich, welche Schicksalsmuster in einer Beziehung stecken. Vor allem wird aber gezeigt, wie man aus dem Composit die zukünftige Entwicklung einer Beziehung voraussehen kann. Besonders die Betrachtung des progressiven Composit-Horoskops zeigt an, wann etwas im Muster der Entfaltung der Beziehung reif geworden ist und nach einem Ausdruck im Leben verlangt.

Wer bereits Erfahrungen mit dem Composit sammeln konnte, der wird in diesem Buch viele Anregungen finden, um sein Wissen zu erweitern und praktisch mit dem Composit zu arbeiten. *Meridian*

CHIRON VERLAG

Standardwerke der Astrologie

MELANIE REINHART

Die Mondknoten

Das innere Gleichgewicht im Horoskop
162 Seiten, 15 Abbildungen, Broschur

ISBN 3-925100-41-5

Die Bahnen von Sonne und Mond überschneiden sich an zwei im Tierkreis gegenüberliegenden Stellen: den Mondknoten. Die Mondknoten bilden somit eine wichtige Achse im Horoskop. Eine häufig gestellte Frage lautet aber: wie soll man die Mondknoten zuverlässig deuten? Meistens wird der südliche Mondknoten als Vergangenheit im persönlichen wie auch im karmischen Sinne betrachtet und der Nordknoten als die Zukunft. Melanie Reinhart zeigt jedoch, daß dies nur eine eingeschränkte Sichtweise der Mondknotenachse bedeutet. In den Mondknoten tauschen sich die Prinzipien von Sonne, Mond und Erde aus. Die beiden Knoten ergänzen sich und schaffen so ein inneres Gleichgewicht.
Sie untersucht den rückläufigen Zyklus und zeigt dessen Bedeutung als Weg zur inneren Balance. Gerade diese Sichtweise auf die Mondknoten als ein Faktor zum Ausgleich der Gegensätze zeichnet das Buch besonders aus. Anhand leicht nachvollziehbarer Fallstudien erhält der Leser Anleitungen zur Deutung der Mondknoten und gelangt zu einem erweiterten Verständnis dieser wichtigen Achse im Horoskop. Endlich ein Buch mit einer lebensnahen Auslegung der Mondknotenachse.

CHIRON VERLAG

Standardwerke der Astrologie

KAREN HAMAKER-ZONDAG

Saturn im Transit durch die Häuser

196 Seiten, Broschur

ISBN 3-925100-64-4

In diesem Buch werden die Chancen des Transits von Saturn durch die Häuser analysiert. Wir können lernen, dass dieser Planet uns auf eine besondere und direkte Weise mit unserer Vergangenheit und unserer Zukunft verbindet und somit einen roten Faden durch unser Leben webt. Außergewöhnlich ist dabei die erweiterte Sichtweise der Autorin, dass jedes Haus mit einer Reihe anderer Häuser des Horoskops verbunden ist. Saturn im Transit durch ein Haus bringt meist eine Reaktion im nachfolgenden Haus mit sich. Oft löst er auch eine Reaktion im gegenüberliegenden Haus aus. Daher hat das, was Saturn in einem bestimmten Haus zu Stande bringt, auch Folgen für ganz andere Lebensbereiche. Auch wenn Saturns Gang durch die Häuser oft als schwierig erlebt wird, erweist es sich, dass in diesem Transit ein tieferer Sinn liegt. Wenn Sie dabei zu den richtigen Einsichten gelangen und auf gute Weise an die Dinge herangehen, kann die Belohnung großzügig ausfallen.

Ein interessantes, lehrreiches Buch, das uns zeigt, dass Saturns Lauf durch die Häuser meist zwar als schwierig erfahren wird, seine Aufgabe aber darin liegt, uns mit unserer eigenen Geschichte zu verbinden und uns letztlich dazu verhelfen kann, unsere Schwierigkeiten aufzulösen.

Meridian

Standardwerke der Astrologie

BRIGITTE HAMANN

Ihr Lebensziel

Die IC/MC-Achse und
der Lebenssinn im Horoskop
288 Seiten, Broschur, 7 Abbildungen

ISBN 3-925100-73-3

Das Lebensziel wird im Horoskop meist an der Stellung des Medium Coeli (MC) abgelesen. Die Vorstellung, dass wir uns von einem Ausgangspunkt, dem Imum Coeli (IC), auf dieses Lebensziel zu bewegen und dass das MC somit das Ergebnis und die Erfüllung dieses Zieles darstellt, ist jedoch unzureichend. Aufgrund intensiver Studien kam die Autorin zu einem bahnbrechenden Ansatz: Das Lebensziel liegt im Ausgleich der Gegensätze, in der Mitte zwischen beiden Polen. Das IC enthält unser schöpferisches Potential. Am MC finden Sie die ergänzenden Eigenschaften, Verhaltensweisen und Themen die Sie benötigen, um dieses Potential in seiner besten Form verwirklichen zu können. Außerdem gibt es einen Fluchtpunkt. Dieser beschreibt wichtige Vermeidungsstrategien, die wir anwenden, um unseren Lernthemen auszuweichen.
Die Autorin beschreibt die spirituellen, psychologischen und astrologischen Deutungsgrundlagen der beiden Gegenpole. Dabei kommen dem IC und dem 4. Haus eine tragende Rolle zu, denn dort ist das, »was unsere Welt im Innersten zusammenhält.« Die zwölf Lebensziele sind in einer anschaulichen und eingängigen Sprache beschrieben.

Da dieses Buch nicht nur Konstellationen beschreibt, sondern auch eine Fülle an Anregungen zur Umsetzung gewonnener Erkenntnisse in das Tägliche Leben enthält, ist es nicht nur für fortgeschrittene Astrologen eine bereichernde Lektüre, sondern auch gerade für Astrologie-Einsteiger. *Meridian*

CHIRON VERLAG